petite collection maspero

ŒUVRES DE CHE GUEVARA
ÉDITION MISE EN ORDRE ET AUGMENTÉE

I. *Textes militaires* (La guerre de guérilla ; Qu'est-ce qu'un guérillero ? ; Le rôle social de l'Armée Rebelle ; La guerre de guérilla, une méthode).

II. *Souvenirs de la guerre révolutionnaire.*

III. *Ecrits politiques* (Après le triomphe de la révolution (1959-1961) ; Sur la construction du socialisme (1962-1964) ; Sur l'internationalisme (1963-1965) ; Le socialisme et l'homme à Cuba (1965) ; Créer, deux, trois... de nombreux Vietnam (1967) ; Lettres).

IV. *Journal de Bolivie.*

V. *Textes inédits.* I. (Textes militaires ; Sur les enquêtes idéologiques ; Le mouvement syndical, etc.)

VI. *Textes inédits.* II. (Vers la construction du socialisme ; Dimension internationale de la Révolution; Six interviews, etc.)

HORS SÉRIE

Le socialisme et l'homme.

Une introduction nécessaire

C'était une habitude du Che, au cours de sa vie de guérillero, que de noter soigneusement dans un Journal personnel ses observations quotidiennes. Durant les longues marches, dans les terrains abrupts et difficiles, dans les forêts humides, quand les files des hommes, courbés sous le poids de leur sac à dos, de leurs munitions et de leurs armes, s'arrêtaient pour se reposer ou quand la colonne recevait l'ordre de faire halte pour camper à la fin d'une épuisante journée, on pouvait voir le Che — comme les Cubains l'ont affectueusement baptisé dès les premiers temps — sortir un petit carnet et, de son écriture menue et presque illisible de médecin, rédiger ses observations.

Ce qu'il a pu conserver de ces notes lui a servi, plus tard, pour écrire ses magnifiques souvenirs historiques de la guerre révolutionnaire à Cuba, riches d'un contenu révolutionnaire, pédagogique et humain.

Cette fois, grâce à cette habitude dont il ne s'était pas départi de noter les faits marquants de chaque journée, nous disposons d'une information détaillée, rigoureusement exacte et inappréciable des derniers mois héroïques de sa vie en Bolivie.

Ces notes, qui n'ont pas été vraiment écrites pour être publiées, lui servaient d'instruments de travail pour juger constamment les faits, les situations et les hommes, et lui permettaient de donner libre cours à son esprit profondément observateur, analytique et souvent teinté d'un fin humour. Elles sont rédigées avec sobriété et elles constituent, du commencement à la fin, un tout parfaitement cohérent.

Il ne faut pas oublier qu'elles ont été rédigées aux très rares instants de repos, en plein effort physique, un effort épique et surhumain, au milieu de ses obligations épuisantes de chef d'un détachement guérillero, pendant la difficile étape des débuts d'une lutte dans des conditions matérielles incroyablement dures : ce qui révèle une fois de plus sa manière de travailler et sa volonté de fer.

Dans ce journal, en analysant en détail des incidents de chaque jour il fait apparaître les fautes, les critiques et les récriminations qui caractérisent inévitablement le développement d'une guérilla révolutionnaire.

De telles critiques ne peuvent être que le lot quotidien d'un détachement guérillero, surtout à l'étape où celui-ci n'est encore qu'un petit noyau : il doit alors faire face à des conditions matérielles extrêmement hostiles et à un ennemi supérieur en nombre ; la moindre négligence, la faute la plus insignifiante peuvent s'avérer fatales, et le chef doit être d'une exigence totale, en même temps qu'il doit profiter de chaque fait ou de chaque épisode, même s'il semble insignifiant, pour éduquer les combattants et les futurs cadres des nouveaux détachements guérilleros.

La formation de la guérilla fait constamment appel à l'honneur et à la conscience de chaque homme. Le Che savait toucher les fibres les plus sensibles des révolutionnaires.

Quand, après avoir été blâmé plusieurs fois de suite par le Che, Marcos fut menacé d'être honteusement chassé de la guérilla, il s'est écrié : « Fusillez-moi avant ! » Par la suite, il a donné héroïquement sa vie.

Tous les hommes en qui il avait mis sa confiance et que, pour une raison ou pour une autre, il s'est vu obligé de réprimander, ont eu le même comportement. Chef fraternel et humain, il savait aussi être exigeant et sévère à l'occasion, mais, plus qu'avec les autres, il l'était avant tout et au plus haut point avec lui-même. Le Che fondait la discipline sur la conscience morale du guérillero et sur la force toute puissante de son exemple.

Il parle souvent de Debray dans son journal : il montre ainsi l'immense souci que lui ont causé l'arrestation et l'emprisonnement de l'écrivain révolutionnaire auquel il avait confié une mission en Europe, bien qu'au fond il eût souhaité le voir rester dans la guérilla. C'est pourquoi il manifeste vis-à-vis de son comportement une certaine réticence et parfois même des doutes.

Le Che n'a pas eu la possibilité de connaître l'odyssée vécue par Debray entre les griffes des corps de répression, ni son attitude ferme et courageuse devant ceux qui l'ont arrêté et torturé.

Il a cependant mis en valeur l'énorme importance politique de son procès et, le 3 octobre, six jours avant sa mort, au milieu d'une situation tendue et amère, il consignait dans son Journal : « On a entendu une interview de Debray, très courageux, face à un étudiant provocateur ». et ceci est la dernière mention qu'il fait de l'écrivain.

•

Comme ce journal indique à plusieurs reprises les relations de la Révolution Cubaine avec le mouvement guérillero, certains pourront prétendre qu'en le publiant nous nous livrons à un acte de provocation susceptible de fournir des arguments aux ennemis de la Révolution, aux impérialistes yankees et à leurs alliés, les oligarques d'Amérique latine, pour renforcer leurs projets de blocus d'isolement et d'agression de Cuba.

Il est bon de rappeler à ceux qui jugent ainsi les faits, que l'impérialisme yankee n'a jamais eu besoin de prétextes pour perpétrer ses méfaits où que ce soit dans le monde et que ses efforts pour écraser la Révolution Cubaine ont commencé avec la première loi révolutionnaire publiée dans notre pays, pour la raison évidente et bien connue que cet impérialisme est le gendarme de la réaction mondiale, le promoteur systématique de la contre-révolution et le protecteur des structures sociales les plus rétrogrades et les plus inhumaines qui subsistent dans le monde.

La solidarité avec le mouvement révolutionnaire peut servir de prétexte, mais elle ne sera jamais la cause des agressions yankees. Nier la solidarité internationale pour ne pas fournir ce prétexte, est une politique d'autruche ridicule qui est parfaitement étrangère au caractère internationaliste des révolutions sociales contemporaines. Cesser de se solidariser avec le mouvement révolutionnaire ce n'est pas refuser un prétexte à l'impérialisme yankee : c'est, dans les faits, se solidariser avec lui et avec sa politique de domination et d'asservissement du monde.

Cuba est un petit pays à l'économie sous-développée, comme tous les pays qui ont été dominés et exploités pendant des siècles par le colonialisme et l'impérialisme ; il se trouve à 90 miles des Etats-Unis, avec une base navale yankee sur son propre territoire ; il fait face à de nombreux obstacles, pour mener à bien son développement économique et social. De grands dangers ont plané sur notre Patrie, depuis le triomphe de la Révolution, mais l'impérialisme n'arrivera pas pour autant à le soumettre et nous ne nous soucierons pas pour autant des difficultés que peut nous amener une ligne révolutionnaire conséquente.

•

Du point de vue révolutionnaire, la publication du journal du Che en Bolivie n'admet pas d'hésitation. Le journal du Che est resté dans les mains de Barrientos qui, immédiatement, en a donné une copie à la C.I.A., au Pentagone et au gouvernement des Etats-Unis. Des journalistes liés à la C.I.A. ont eu accès au document, en Bolivie même, et en ont fait des photocopies bien qu'en s'engageant à ne pas le publier pour le moment.

Le gouvernement de Barrientos et les plus hauts chefs militaires n'ont que trop de raisons de ne pas publier ce journal qui permet de constater la totale incapacité de leur armée et les innombrables défaites que lui a infligées une poignée de guérilleros décidés qui, en quelques semaines de combat, lui ont enlevé près de deux cents armes.

En outre, Che décrit Barrientos et son régime en des termes si justes qu'ils resteront fixés à jamais dans l'Histoire.

De son côté l'impérialisme avait aussi ses raisons : le Che et son extraordinaire exemple prennent de plus en plus de force dans le monde. Ses idées, son portrait, son nom sont pour les opprimés et les exploités les drapeaux de leur lutte et suscitent un intérêt passionné chez les étudiants et les intellectuels du monde entier.

Aux Etats-Unis même, le mouvement noir et les étudiants progressistes, de plus en plus nombreux, ont fait leur la figure du Che. Dans les manifestations les plus combatives pour les droits civils et contre l'agression au Vietnam, ils déploient ses portraits comme des emblêmes de combat. L'Histoire nous a rarement montré, peut-être jamais, une figure, un nom, un exemple devenus aussi rapidement universels et avec une telle puissance passionnée. C'est que le Che incarne sous sa forme la plus pure et la plus désintéressée l'esprit internationaliste qui caractérise le monde d'aujourd'hui et de plus en plus le monde de demain.

D'un continent opprimé hier par les puissances coloniales, exploité et maintenu aujourd'hui par l'impérialisme yankee dans l'état d'arriération et de sous-développement le plus inique, se dresse cette singulière figure qui porte, comme un souffle universel, la lutte révolutionnaire jusque dans les métropoles impérialistes et colonialistes.

Les impérialistes craignent la force de cet exemple et tout ce qui peut le faire connaître. Ce qui les a empêchés de livrer le journal au public, c'est sa valeur fondamentale : expression vivante d'une extraordinaire personnalité, leçon de guérilla écrite dans la chaleur et dans la tension de chaque jour, baril de poudre, preuve véritable de ce que l'homme latino-américain n'est pas impuissant devant ceux qui réduisent les peuples en esclavage, devant leurs armées mercenaires.

•

Il est aussi possible qu'ils aient intérêt à ce que l'on ne connaisse jamais les pseudo-révolutionnaires, les opportunistes et charlatans en tous genres qui se considèrent comme marxistes, communistes ou se parent, en paroles, d'autres titres et qui n'ont pas hésité à dire du Che qu'il s'était trompé, à le traiter d'aventurier, — ou, pour les moins agressifs, d'idéaliste, dont la mort serait le chant du cygne de la lutte armée révolutionnaire en Amérique latine : « Si le Che, disent-ils, qui était le plus grand défenseur de ces idées et un guérillero expérimenté, est mort dans les guérillas et que son mouvement n'a pas libéré la Bolivie, cela prouve à quel point il était dans l'erreur... ! » Combien de ces misérables ont dû se réjouir de la mort du Che, sans même rougir à la pensée que leurs positions, leurs raisonnements rejoignent totalement ceux des oligarques les plus réactionnaires et de l'impérialisme !

C'est ainsi qu'ils se justifient ou qu'ils justifient les dirigeants traîtres qui, à un moment donné, n'ont pas hésité à jouer à la lutte armée, alors que leur intention réelle, comme on a pu s'en rendre compte plus tard, était de détruire les groupes guérilleros, de freiner l'action révolutionnaire et d'imposer leurs honteuses et ridicules conciliations politiques, parce qu'ils étaient absolument incapables d'avoir une autre ligne ; c'est ainsi qu'ils justifient ceux qui ne veulent pas se battre et qui ne se battront jamais pour le peuple et pour sa libération, ceux qui ont caricaturé les idées révolutionnaires en en faisant un opium dogmatique, qui n'a pour les masses ni contenu ni message, ceux qui ont transformé les organisations de lutte du peuple en instruments de conciliation avec les exploiteurs de l'intérieur et de l'extérieur, en instruments de défense de politiques qui n'ont rien à voir avec les intérêts réels des peuples exploités de ce continent.

Le Che considérait sa mort au combat comme naturelle et probable, et il s'est efforcé, surtout dans ses derniers écrits, d'insister sur le fait que cela n'arrêterait pas la marche inévitable de la révolution en Amérique latine. Dans son message à la Tricontinentale, il a réaffirmé ce qu'il pensait. « Toute notre action est un cri de guerre contre l'impérialisme... Qu'importe où nous surprendra la mort ; qu'elle soit la bienvenue, pourvu que notre cri de guerre soit entendu, qu'une autre main se tende pour empoigner nos armes... »

Il se considérait comme un soldat de la révolution et ne se préoccupait absolument pas de lui survivre. Ceux qui voient dans le dénouement de sa lutte en Bolivie l'échec de ses idées pourraient, avec le même simplisme, nier la validité des idées et des luttes de tous les grands précurseurs et penseurs révolutionnaires, y compris les fondateurs du marxisme qui n'ont pas pu arriver au bout de leur œuvre et contempler de leur vivant le fruit de leurs nobles efforts.

A Cuba, la mort au combat de Marti ou de Maceo, qui devait être suivie plus tard, à la fin de la guerre d'indépendance, de l'intervention yankee, la mort d'admirables défen-

seurs de la révolution socialiste, tel Julio Antonio Mella, assassiné par des agents au service de l'impérialisme, n'ont pu empêcher, à la longue, le triomphe d'un mouvement commencé il y a cent ans et absolument personne ne peut mettre en doute la totale justesse de la cause pour laquelle ont lutté ces précurseurs, ni la validité de leurs idées essentielles qui ont toujours inspiré les révolutionnaires cubains.

Le journal du Che permet d'apprécier, grâce aux observations qu'il y a consignées, à quel point ses possibilités de succès étaient réelles et combien était extraordinaire le pouvoir catalyseur de la guérilla. Devant les symptômes évidents de faiblesse et de détérioration rapide du régime bolivien, il écrit : « Le gouvernement se détériore rapidement, dommage que nous ne disposions pas de cent hommes de plus en ce moment. »

Le Che savait, de par son expérience cubaine, combien de fois notre petit groupe guérillero avait été sur le point d'être exterminé. Si c'était arrivé, ce n'eût été dû, presque uniquement, qu'aux hasards, aux impondérables de la guerre ; mais cela eût-il donné à quiconque le droit de considérer notre ligne comme erronée et de la donner en exemple pour décourager la révolution et inspirer aux peuples le sentiment de l'impuissance ?

L'Histoire est remplie de mouvements révolutionnaires qui ont été précédés d'échecs. A Cuba, n'avons-nous pas eu l'expérience de la Moncada, six ans à peine avant le triomphe définitif de la lutte armée du peuple ?

Entre le 26 juillet 1953, date de l'attaque de la caserne Moncada, à Santiago de Cuba, et le 2 décembre 1956, date du débarquement du « Granma », beaucoup considèrent que face à une armée moderne et bien équipée, la lutte révolutionnaire manquait de toute perspective et que l'action d'une poignée de combattants était une chimère d'idéalistes et de visionnaires « qui se trompaient profondément ». La défaite écrasante et la dispersion totale du détachement guérillero inexpérimenté, le 5 décembre 1956, parut confirmer totalement ces prédictions pessimistes. Mais vingt-cinq mois plus tard seulement, ce qui restait de la guérilla avait déjà acquis la force et l'expérience nécessaires pour anéantir cette armée.

Il n'y aura toujours que trop de prétextes, à toutes les époques et en toutes circonstances pour ne pas se battre, mais ce sera toujours la seule voie pour ne jamais obtenir la liberté. Le Che n'a pas survécu à ses idées, mais il les a fécondées de son sang. Il est certain que ses critiques pseudo-révolutionnaires, eux, avec leur lâcheté politique et leur éternelle absence d'action, survivront à l'évidence de leur propre stupidité.

•

Il est significatif que l'un de ces échantillons de révolutionnaires de plus en plus typiques en Amérique latine, Mario Monje, qui arborait, comme on le verra dans le journal, le titre de Secrétaire du Parti Communiste de Bolivie, ait prétendu disputer au Che la direction politique et militaire du mouvement. Comme il prétendait s'engager à renoncer, dans ce but, à sa charge au sein du Parti, il apparaît que, pour lui, le simple fait d'avoir occupé ce poste lui donnait le droit d'exiger une telle prérogative.

Bien entendu, Mario Monje n'avait pas la moindre expérience de la guérilla et ne s'était jamais battu ; en se considérant comme un communiste, il ne s'était jamais pour autant senti obligé de dépasser le chauvinisme vil et mondain, comme avaient su le faire les précurseurs, combattants de la première indépendance.

Avec une telle conception de ce que doit être la lutte anti-impérialiste dans ce continent, des « chefs communistes » de ce genre sont restés en deçà du niveau internationaliste des tribus aborigènes vaincues, à l'époque de la conquête, par les colonisateurs européens.

Voici donc le chef du Parti Communiste d'un pays qui s'appelle la Bolivie, et dont la capitale historique porte le nom de Sucre en l'honneur de ses premiers libérateurs, tous deux vénézuéliens ; il pouvait compter, pour la libération définitive de son peuple, sur l'aide du talent politique et militaire d'un véritable titan révolutionnaire dont la cause ne se limitait nullement aux frontières étroites, artificielles et même injustes de ce pays ; et il n'a rien trouvé de mieux à faire, que d'entrer dans des réclamations honteuses, ridicules et injustes pour revendiquer le commandement.

N'ayant pas d'issue vers la mer, la Bolivie, plus que tout autre pays, si elle ne veut pas se trouver exposée à un blocus atroce, a besoin, pour sa propre libération, que la révolution triomphe chez ses voisins. Et l'immense prestige du Che, ses capacités, son expérience faisaient de lui l'homme tout désigné pour accélérer le mouvement.

C'est bien avant que ne se produise la scission du Parti communiste bolivien que le Che avait établi des relations avec certains de ses dirigeants et de ses militants, en leur demandant d'aider le mouvement révolutionnaire en Amérique latine. Quelques-uns de ces militants, avec l'autorisation du Parti, ont travaillé avec lui pendant des années, à diverses tâches.

La scission du Parti a créé une situation particulière : les militants qui avaient travaillé avec lui se retrouvaient dispersés dans les deux groupes. Cependant, le Che ne considérait pas la lutte en Bolivie comme un fait isolé, mais comme une partie du mouvement révolutionnaire de libéra-

tion qui ne tarderait pas à s'étendre aux autres pays d'Amérique du Sud. Son intention était d'organiser un mouvement dépourvu de tout esprit sectaire, dans lequel s'engageraient tous ceux qui voudraient lutter pour la libération de la Bolivie et de tous les peuples asservis par l'impérialisme en Amérique latine. Mais à l'étape initiale de préparation de la base guérillera, il dépendait essentiellement de l'aide d'un groupe de collaborateurs courageux et discrets qui au moment de la scission étaient restés dans le parti de Monje. Aussi est-ce par déférence à leur égard qu'il a d'abord invité celui-ci à venir le voir à son campement, bien qu'il ne ressentît certainement aucune sympathie particulière à son égard. Il invita également ensuite Moisés Guevara, leader syndical des mineurs et leader politique qui, après avoir rompu avec le Parti pour participer à la formation d'une autre organisation, s'en était également écarté, se trouvant en désaccord avec Oscar Zamora : ce dernier, autre Monje, s'était auparavant engagé envers le Che à travailler à l'organisation de la lutte armée en Bolivie, mais au lieu de tenir ses engagements, il s'était lâchement croisé les bras à l'heure de l'action ; plus tard, à la mort du Che, il devait devenir l'un de ses critiques les plus venimeux, au nom du « marxisme-léninisme ».

Moisés Guevara, lui, rejoignit le Che sans hésitation, comme il le lui avait offert bien avant son arrivée en Bolivie : il lui apporta son soutien, et il a donné héroïquement sa vie pour la cause révolutionnaire.

Le groupe de guérilleros boliviens qui était resté jusqu'alors dans l'organisation de Monje en a fait autant. Dirigés par Inti et Coco Peredo qui se sont avérés, par la suite, des combattants courageux et remarquables, ils se sont séparés du Parti et ont résolument épaulé le Che. Mais Monje était mécontent de ce résultat : il se consacra à saboter le mouvement en interceptant à La Paz les militants communistes bien entraînés qui allaient rejoindre les guérillas. Ce qui montre comment il peut exister dans les rangs révolutionnaires des hommes parfaitement prêts au combat, et qui se trouvent criminellement déviés par les manœuvres de dirigeants incapables, de charlatans.

Le Che n'a jamais eu d'intérêt personnel pour les charges, les commandements ou les honneurs, mais il avait la ferme conviction que dans la lutte révolutionnaire guérillera — forme fondamentale d'action pour la libération des peuples d'Amérique latine, étant donné la situation économique politique et sociale de presque tous les pays du continent — le commandement militaire et politique devait être unifié et que la lutte ne pouvait être dirigée que de la guérilla et non pas de confortables et bureaucratiques officines urbaines. Et, sur ce point, il n'était pas disposé à transiger ni à confier à une tête creuse sans expérience, aux vues étroites et chauvines, le commandement d'un noyau guérillero destiné à mener, lorsqu'il aurait pris de l'ampleur, une lutte à grande échelle en Amérique du Sud. Le Che considérait que ce chauvinisme qui sévit souvent parmi les éléments révolutionnaires des divers pays d'Amérique latine devait être combattu comme un sentiment réactionnaire, ridicule et stérile. Il disait dans son message à la Tricontinentale : « Et il faut développer un véritable internationalisme prolétarien... où le drapeau sous lequel on lutte devient la cause sacrée de la rédemption de l'humanité, de telle sorte que mourir sous les enseignes du Vietnam, du Venezuela, du Laos, de la Guinée, de la Bolivie... pour ne citer que les théâtres actuels de la lutte armée, soit également glorieux et désirable pour un Américain, un Asiatique, un Africain et même un Européen. Chaque goutte de sang versée sur un territoire sous le drapeau duquel on n'est pas né est une expérience que recueille celui qui y survit pour l'appliquer ensuite à la lutte pour la libération de son lieu d'origine. Et chaque peuple qui se libère est une étape gagnée de la bataille pour la libération d'un autre peuple. »

Le Che pensait aussi que le groupe guérillero devait comprendre des combattants des divers pays latino-américains, et que la guérilla en Bolivie devait être une école de révolutionnaires qui feraient leur apprentissage dans les combats. Il a voulu avoir à ses côtés pour l'aider dans cette tâche, avec les Boliviens, un petit noyau de guérilleros expérimentés qui avaient presque tous été ses camarades dans la Sierra Maestra pendant la lutte révolutionnaire cubaine et dont il connaissait la compétence, la valeur et l'esprit de sacrifice. Aucun n'a hésité à répondre à son appel, aucun ne l'a abandonné, et aucun ne s'est rendu.

●

Le Che a mené sa campagne de Bolivie avec la ténacité, la maîtrise, le stoïcisme et l'attitude exemplaire qui étaient déjà devenus proverbiaux. On peut dire que profondément conscient de l'importance de la mission qu'il s'était assignée il a agi à chaque instant avec un irréprochable esprit de responsabilité. Lorsque la guérilla a commis quelque négligence, il s'est empressé de l'en avertir et d'y remédier, et il l'a consigné dans son journal.

C'est un ensemble incroyable de facteurs adverses qui s'est combiné pour jouer contre lui. La séparation, qui avait été prise pour quelques brèves journées, d'une partie de la guérilla où se trouvait un groupe d'hommes de valeur, dont quelques-uns étaient malades ou convalescents, s'est prolongée durant des mois interminables que le Che a tout entiers consacrés à sa recherche, parce que le contact entre les deux groupes avait été coupé dans un terrain extrêmement accidenté. A cette époque l'asthme, qu'il avait l'habitude de calmer avec des médicaments très simples, mais qui, lorsqu'il en manquait, devenait un ennemi terrible, l'a attaqué sans pitié et le problème est devenu grave, du fait de la découverte par l'ennemi des médicaments qu'il avait accumulés par précaution pour la guérilla. Cela, ainsi que l'anéantissement, fin août, de la fraction de la guérilla avec laquelle il avait perdu le contact, a eu une importance capitale dans le cours des événements. Mais le Che a dominé le mal physique avec une volonté de fer et son action n'en a jamais été amoindrie, ni son courage diminué.

Ses contacts avec les paysans boliviens ont été nombreux. Le caractère de ceux-ci, extrêmement méfiants et prudents ne pouvait surprendre le Che qui connaissait parfaitement bien leur mentalité pour les avoir fréquentés en d'autres circonstances : il savait qu'un travail prolongé, difficile et patient serait nécessaire pour les gagner à sa cause, mais il ne doutait pas le moins du monde qu'il y parviendrait à la longue. Si l'on suit attentivement le fil des événements, on verra que même en septembre, quelques semaines avant sa mort, lorsque le nombre de ses hommes se trouva très réduit, la guérilla conservait encore sa possibilité d'action, et que certains cadres boliviens, comme les frères Inti et Coco Peredo, se distinguaient déjà et promettaient de devenir des chefs. L'embuscade d'Higueras est la seule action de l'armée contre le groupe que commandait le Che qui ait été couronnée de succès en tuant son avant-garde et en blessant plusieurs de ses hommes, et cela en plein jour, alors qu'ils se déplaçaient vers une zone où les paysans étaient plus politisés (cet objectif n'est pas consigné dans le journal mais il nous est connu grâce aux survivants) ; c'est cette embuscade qui les a mis dans une situation insurmontable. Cette marche de jour, toujours sur la même route depuis des journées, qui les mettait, inévitablement, assez largement en contact avec les habitants de cette région qu'ils traversaient pour la première fois, avec la certitude absolue qu'à un moment donné, l'ennemi allait les intercepter était, certes, dangereuse. Mais le Che en était pleinement conscient et il avait décidé d'en prendre le risque pour aider le Médecin qui était en très mauvais état physique.

La veille de l'embuscade il écrit « Nous sommes arrivés à Pujio. Mais il y avait là, des gens qui nous avaient vus en bas la veille, autrement dit nous sommes annoncés par Radio Bemba...[1] *Ça devient dangereux de marcher avec des*

1. *Radio Bemba* : c'est une expression populaire à Cuba pour désigner la rumeur publique (N.d.Ed.).

mules mais j'essaie de faire en sorte que le Médecin voyage dans les meilleures conditions car il devient très faible.» Le lendemain, il écrit *« L'avant-garde est partie à 13 heures pour essayer d'arriver à Jagüey et de là, prendre une décision à propos des mules et du Médecin.»* Il cherchait donc une solution pour le malade, afin de pouvoir abandonner cette route et prendre les précautions nécessaires. Mais c'est ce même après-midi, avant que l'avant-garde n'arrive à Jagüey, qu'eut lieu l'embuscade fatale qui mit le détachement dans une situation inextricable. Et quelques jours plus tard, encerclé dans la gorge du Yuro, il livrait son dernier combat.

L'exploit réalisé par cette poignée de révolutionnaires est profondément impressionnante. La simple lutte contre la nature hostile qui les entourait constitue déjà une page d'héroïsme. Jamais, dans l'histoire, un nombre aussi réduit d'hommes n'a entrepris une tâche aussi gigantesque. La foi et la conviction absolue que l'immense potentiel révolutionnaire des peuples d'Amérique latine pouvait être réveillé, la confiance en soi et la décision avec laquelle ils se sont consacrés à leur objectif, nous donnent l'exacte dimension de ces hommes.

•

Le Che a dit un jour aux guérilleros, en Bolivie: « Ce genre de lutte nous donne l'occasion de devenir des révolutionnaires et d'atteindre au degré le plus élevé de l'espèce humaine, mais elle nous permet aussi de devenir des hommes ; que ceux qui ne se sentent pas capables d'atteindre ces deux étapes le disent et abandonnent la guérilla. »

Ceux qui ont lutté avec lui jusqu'au dernier moment se sont rendus dignes de ces titres glorieux. Ils symbolisent le genre d'hommes et de révolutionnaires que l'histoire convoque aujourd'hui pour une tâche vraiment difficile et ardue : la transformation révolutionnaire de l'Amérique latine.

L'ennemi qu'ont affronté les héros de la première lutte pour l'indépendance était un pouvoir colonial décadent. Les révolutionnaires d'aujourd'hui ont pour ennemi le bastion le plus puissant du camp impérialiste muni des techniques et de l'industrie les plus modernes. Cet ennemi a organisé et rééquipé une armée nouvelle bolivienne, dans ce pays où le peuple avait détruit l'ancienne force militaire répressive, et lui a apporté l'aide de ses armes et son assistance militaire pour lutter contre la guérilla ; et de la même manière il offre son aide militaire et technique à toutes les forces répressives du continent. Et quand ces mesures ne suffisent pas, il intervient directement avec ses troupes comme il l'a fait à Saint-Domingue.

Ce qu'il faut, pour lutter contre cet ennemi, c'est ce

type de révolutionnaires et d'hommes dont parlait le Che. Sans ce type de révolutionnaires et d'hommes, prêts à faire ce qu'ils ont fait ; sans ce courage d'affronter des obstacles immenses ; sans cette décision de mourir, qui les a accompagnés à chaque instant ; sans cette profonde conviction de la justesse de leur cause et sans leur foi immuable en la force invincible des peuples, face à un pouvoir comme l'impérialisme yankee, dont les ressources militaires, techniques et économiques s'étendent sur le monde entier, il ne sera pas possible de parvenir à la libération des peuples de ce continent.

Le peuple nord-américain lui-même, commence à prendre conscience que la monstrueuse superstructure politique qui régit son pays n'est déjà plus, et depuis longtemps, la république bourgeoise idyllique que ses fondateurs ont établie il y a presque deux cents ans ; il subit de plus en plus durement la barbarie d'un système irrationnel, aliénant, deshumanisé et brutal, qui atteint de plus en plus d'Américains victimes de ses guerres d'agression, de ses crimes politiques, de ses aberrations raciales, de sa mesquine hiérarchisation de l'être humain et du gaspillage scandaleux des ressources économiques, scientifiques et humaines de son appareil militaire réactionnaire et répressif dans un monde aux trois quarts sous-développé et affamé.

Mais seule la transformation révolutionnaire de l'Amérique latine pourra permettre au peuple des Etats-Unis de régler ses propres comptes avec cet impérialisme ; et dans le même temps, le développement de la lutte du peuple américain contre la politique impérialiste pourra en faire un allié décisif du mouvement révolutionnaire latino-américain.

Cette partie de l'hémisphère doit connaître une profonde transformation révolutionnaire : sinon l'énorme différence et le déséquilibre qui se sont instaurés au début de ce siècle entre, d'une part, la puissante nation qui s'industrialisait rapidement tandis que la loi même de sa dynamique sociale et économique la portait vers les cimes impériales, et, d'autre part, le groupe balkanisé du reste de ce continent, — cette différence et ce déséquilibre seront laissés bien loin en arrière comme un pâle reflet, pas seulement par l'immense disproportion actuelle des économies, des sciences, des techniques, mais par le déséquilibre effroyable que l'impérialisme imposera d'ici vingt ans aux peuples d'Amérique latine à un rythme de plus en plus accéléré.

En suivant ce chemin, nous sommes voués à être de plus en plus pauvres, de plus en plus faibles, de plus en plus dépendants et de plus en plus esclaves de cet impérialisme. Cette sombre perspective est la même, au même degré, pour les peuples d'Afrique et d'Asie.

Si les nations industrialisées et instruites d'Europe, avec leur Marché Commun et leurs institutions scientifiques supranationales, s'inquiètent devant les possibilités de rester en arrière et envisagent avec crainte la perspective de devenir des colonies économiques de l'impérialisme yankee, que réserve l'avenir aux peuples d'Amérique latine ?

Devant le tableau de cette situation réelle, irréfutable, qui pèse inéluctablement sur le destin de nos peuples, si quelque libéral ou quelque réformiste bourgeois ou quelque pseudo-révolutionnaire charlatan incapable d'action peut proposer une solution au retard économique et scientifico-technique accumulé pendant des siècles, par rapport au monde industrialisé, et surtout aux Etats-Unis, dont nous sommes et dont nous serons de plus en plus tributaires ; si cette solution n'est pas une profonde et urgente transformation révolutionnaire, qui rassemble les forces morales, matérielles et humaines de cette partie du monde pour les lancer en avant : s'il donne la formule, s'il indique la voie magique pour y parvenir, et si cette voie est différente de celle conçue par le Che, qui balaye les oligarchies, les despotes et les politiciens, c'est-à-dire les valets, et les monopoles yankees, c'est-à-dire les maîtres, alors qu'il le fasse aussi vite que les circonstances l'exigent et alors qu'il se lève pour réfuter le Che.

Mais en fait personne ne possède une réponse honorable ni une action conséquente qui puisse donner un espoir réel aux presque 300 millions d'êtres humains qui composent la population de l'Amérique latine, désespérément pauvre dans son écrasante majorité ; — cette population qui atteindra 600 millions dans 25 ans et qui a droit à la vie matérielle, à la culture et à la civilisation : aussi bien serait-il plus élégant de garder le silence devant le geste du Che et devant ceux qui sont tombés à ses côtés pour défendre courageusement leurs idées, parce que l'épopée que cette poignée d'hommes a réalisée, guidés par le noble idéal de sauver un continent, demeurera comme la preuve la plus haute de ce que peuvent la volonté, l'héroïsme et la grandeur humaine. Leur exemple éclairera les consciences et guidera la lutte des peuples d'Amérique latine, parce que l'appel héroïque du Che sera entendu par les pauvres et les exploités pour lesquels il a donné sa vie, et que nombreuses seront les mains qui se tendront pour empoigner les armes et conquérir leur libération définitive.

●

Le 7 octobre, le Che a écrit ses dernières lignes. Le lendemain, à 13 heures, dans une gorge étroite où il se proposait d'attendre la nuit pour rompre l'encerclement, une nombreuse troupe ennemie les a attaqués. Le nombre réduit d'hommes qui composait à cette date le détachement a combattu héroïquement jusqu'à la tombée de la nuit, retranché dans des positions individuelles, dans le lit du torrent et sur les bords supérieurs, contre la masse des soldats qui les entouraient et les attaquaient. Du groupe le plus proche du Che, il n'est pas resté de survivant. Comme avec lui se trouvaient le Médecin dont nous avons déjà mentionné le grave état de santé, et un guérillero péruvien en mauvaises conditions physiques, lui aussi, tout paraît indiquer que le Che a fait le maximum pour protéger la retraite de ses camarades vers un endroit plus sûr, ce qui explique qu'il ait été lui-même blessé. Le médecin n'est pas mort dans ce combat-là, mais quelques jours plus tard, pas très loin de la gorge du Yuro. Le terrain rocheux, abrupt et irrégulier rendait difficile et parfois impossible le contact visuel des guérilleros entre eux. Ceux qui défendaient la position à l'autre entrée de la gorge, à quelque cent mètres du Che, parmi lesquels Inti Peredo, ont résisté à l'attaque jusqu'à la tombée de la nuit ; puis ils ont réussi à s'éloigner de l'ennemi et à se diriger vers le point de ralliement qui avait été prévu à l'avance.

On a pu savoir avec précision que le Che, blessé, a continué à se battre jusqu'à ce que le canon de son fusil M-2 ait été détruit d'un coup de feu et rendu totalement inutilisable. Le pistolet qu'il avait sur lui n'avait plus de chargeur. Ces circonstances incroyables expliquent qu'on ait pu le prendre vivant. Les blessures aux jambes l'empêchaient de marcher seul mais elles n'étaient pas mortelles.

Transporté au village d'Higueras, il est resté en vie environ vingt-quatre heures. Il a refusé d'échanger une seule parole avec ceux qui l'avaient capturé et un officier ivre qui essayait de l'humilier a reçu une giffle en plein visage.

Réunis à La Paz, Barrientos, Ovando et les autres chefs militaires ont pris froidement la décision de l'assassiner. On sait en détail comment il s'y sont pris pour exécuter cette décision infâme dans l'école du village d'Higueras. Le major Miguel Ayoroa et le colonel Andrés Selnich, rangers entraînés par les Yankees, ont donné au sous-officier Mario Terán les instructions nécessaires à l'assassinat. Quand celui-ci, complètement ivre, pénétra dans l'école, le Che avait entendu les coups de feu qui venaient d'achever deux guérilleros, un Bolivien et un Péruvien ; il vit que le bourreau hésitait, et il lui dit, avec un courage tranquille : « Tirez ! N'ayez pas peur ! » Le sous-officier battit en retraite et il fallut que ses supérieurs Ayoroa et Selnich lui répètent encore une fois l'ordre, pour qu'il l'exécute en tirant une rafale de mitraillette de haut en bas au-dessous de la ceinture. Comme on avait déjà fait circuler la version que le Che était mort quelques heures après le combat, les bour-

reaux avaient reçu l'ordre de ne pas tirer au cœur, ni à la tête pour que ses blessures ne le tuent pas sur le coup. L'agonie du Che en fut donc cruellement prolongée, jusqu'à ce qu'un sergent, ivre lui aussi, l'achève d'un coup de pistolet dans le côté gauche. Ce comportement contraste brutalement avec le respect que le Che avait manifesté, sans exception, pour la vie des nombreux officiers et soldats de l'armée bolivienne qu'il avait fait prisonniers.

Les dernières heures de son existence entre les mains de ses méprisables ennemis ont dû lui être très amères, mais aucun homme n'était mieux préparé que le Che à une telle épreuve.

●

La façon dont ce Journal est arrivé jusqu'à nous ne peut être divulguée maintenant ; il suffit de dire que c'est sans rémunération économique d'aucune sorte. Il contient toutes les notes qu'il a écrites du 7 novembre 1966, date à laquelle le Che est arrivé à Nancahuazú, jusqu'au 7 octobre 1967, veille du combat de la gorge du Yuro. Il manque juste quelques pages qui ne nous sont pas encore parvenues, mais comme elles correspondent à des dates où aucun événement important ne s'est produit, le contenu n'en est absolument pas altéré[1].

Bien que l'authenticité du document lui-même n'offre pas le moindre doute, toutes les photocopies ont été soumises à un rigoureux examen, afin de vérifier non seulement cette authenticité, mais toute altération possible, si petite fût-elle. Les faits ont été en outre confrontés avec le journal de l'un des guérilleros survivants, et les deux documents coïncident en tous points. Le témoignage détaillé des autres guérilleros survivants qui ont été les témoins de tous les événements a contribué aussi à cette vérification. C'est ainsi qu'a été obtenue la certitude que toutes les photocopies reproduisaient fidèlement le journal du Che.

Déchiffrer la petite écriture difficile à lire a été un travail pénible ; il a été réalisé avec la collaboration persévérante de sa compagne Aleida March de Guevara.

Ce journal sera publié presque simultanément en France par les éditions Maspero ; en Italie par les éditions Feltrinelli ; en République Fédérale Allemande par Trikont Verlag ; aux Etats-Unis par la Revue Ramparts *; en France, en espagnol, par les éditions Ruedo Ibérico ; au Chili par la Revue* Punto Final *; et dans d'autres pays.*

Jusqu'à la Victoire, Toujours !

FIDEL CASTRO.
mai 1968.

1. Il s'agit des jours suivants : 4, 5, 8 et 9 janvier ; 8 et 9 février ; 14 mars ; 4 et 5 avril ; 9 et 10 juin ; 4 et 5 juillet (N.d.Ed.).

Novembre 1966

7

Une nouvelle étape commence aujourd'hui. Nous sommes arrivés de nuit à la ferme. Le voyage a été assez bon. Après être entrés, convenablement déguisés, par Cochabamba, Pachungo[1] et moi avons établi les contacts et nous avons fait le voyage en jeep, en deux jours et dans deux voitures.

Aux approches de la ferme, nous avons arrêté les voitures et nous y sommes arrivés dans une seule d'entre elles, pour ne pas éveiller les soupçons d'un propriétaire du voisinage qui chuchote que notre entreprise se livre peut être à la fabrication de la cocaïne. Fait curieux, c'est l'ineffable Tumaini[2] qui passe pour être le chimiste du groupe. Tandis que nous continuions notre route, au cours du second voyage, Bigotes[3] qui venait de réaliser mon identité a manqué d'aller dans le ravin et a arrêté la jeep au bord du précipice. Nous avons continué ainsi notre route pendant près de 20 kilomètres et sommes arrivés passé minuit à la ferme, où se trouvaient trois travailleurs du parti.

Bigotes se montre prêt à collaborer avec nous, quoi que fasse le parti, mais il reste loyal vis-à-vis de Monje qu'il respecte et aime bien, semble-t-il. D'après lui Rodolfo est dans

1. Apparaîtra également sous le nom de Pacho. (N.d.Ed.).
2. Appelé ailleurs Tuma. (N.d.Ed.).
3. Apparaîtra également sous les noms de Loro et Jorge. (N.d.Ed.).

les mêmes dispositions, ainsi que Coco, mais il faut essayer d'obtenir que le parti se décide à lutter. Je lui ai demandé de ne pas informer le parti jusqu'à l'arrivée de Monje qui est en voyage en Bulgarie et qui nous aidera ; il a été d'accord sur ces deux points.

8

Nous avons passé la journée dans le maquis à moins de 100 mètres de la maison et près du torrent. Une sorte de moustique très gênant bien qu'il ne pique pas nous a donné la chasse. Les différentes sortes d'insectes que nous avons rencontrées jusqu'à maintenant sont la yaguasa, le jejen, le marigui, le cousin et la tique.

Bigotes a sorti sa jeep avec l'aide d'Argañaraz et a convenu avec lui de lui faire quelques achats, comme des cochons et des poules.

J'avais l'intention d'écrire, pour information, les péripéties du voyage. J'ai laissé ça pour la semaine prochaine au cours de laquelle nous espérons recevoir le deuxième groupe.

9

Rien de nouveau. Avec Tumaini, nous avons fait une reconnaissance en suivant le cours de la rivière Nacahuasi (un torrent, en réalité), mais nous ne sommes pas remontés jusqu'à sa source. Son cours est encaissé et la région est apparemment peu fréquentée. Avec une discipline appropriée on peut rester longtemps ici. Dans l'après-midi, une forte pluie nous a fait sortir du maquis pour rentrer dans la maison. Je me suis retiré six tiques du corps.

10

Pachungo et Pombo sont partis reconnaître les lieux avec un des camarades boliviens, Serafin. Ils sont allés un peu plus loin que nous et ont trouvé la bifurcation de la rivière, un petit ravin qui a l'air bon. Au retour, ils sont restés à flâner à la maison et le chauffeur d'Algarañaz qui est venu raccompagner les hommes avec leurs achats les a vus. J'ai fait une terrible réprimande et nous avons décidé de nous transporter demain dans le maquis où nous dresserons un campement définitif. Tumaini se laissera voir car ils le connaissent déjà et il passera pour un employé de plus de la ferme. Ça se détériore rapidement ; il faut voir si ça nous permettra de faire venir nos hommes, malgré tout. Avec eux, je serai tranquille.

11

Journée sans rien de nouveau, passée dans un nouveau

campement, de l'autre côté de la maison, où nous avons dormi.

Le fléau est infernal et nous oblige à nous cacher dans le hamac avec une moustiquaire (je suis le seul à en avoir une). Tumaini a été rendre visite à Argañaraz et on lui a acheté quelques choses : poules, dindons. Il ne soupçonne encore rien, semble-t-il.

12

Journée sans rien de nouveau. Nous avons fait une courte reconnaissance pour préparer le terrain destiné au campement quand les six du second groupe arriveront. La zone choisie est à quelque cent mètres du commencement de la tombe, sur un monticule et près d'une fondrière où l'on peut faire des caves pour cacher la nourriture et d'autres objets. Actuellement, le premier des trois groupes de deux qui composent la troupe doit être en train d'arriver. Ils devraient être arrivés à la ferme à la fin de la semaine qui commence. Mes cheveux repoussent, bien que clairsemés, et mes cheveux blancs deviennent blonds et commencent à disparaître ; la barbe commence à pousser. Dans deux mois environ, je serai redevenu moi.

13

Dimanche. Quelques chasseurs passent près de notre habitation ; des péons d'Argañaraz. Ce sont des hommes de la montagne, jeunes et célibataires ; c'est idéal pour le recrutement et ils détestent copieusement leur patron. Ils nous ont appris qu'à 8 lieues d'ici, par le torrent, il y a des maisons et que ce torrent a quelques ravins avec de l'eau. Rien d'autre de nouveau.

14

Une semaine de campement. Pachungo a l'air un peu inadapté et triste, mais il faut qu'il se reprenne. Aujourd'hui nous avons commencé à creuser une excavation pour faire un tunnel et y mettre tout ce qui peut être compromettant ; nous le dissimulerons avec un treillage de bouts de bois et nous le protégerons le plus possible contre l'humidité. Le trou d'un mètre et demi est déjà fait et le tunnel commencé.

15

Nous avons continué à travailler au tunnel ; le matin Pombo et Pachungo, l'après-midi Tumaini et moi. A six heures, quand nous avons interrompu le travail, le tunnel avait déjà atteint 2 mètres de profondeur. Demain, nous pensons le terminer et y mettre toutes les choses compromettantes. La nuit, la pluie m'a fait sortir de mon hamac qui se mouille car la couverture de plastique est trop courte. Il n'y a rien eu d'autre de nouveau.

16

Le tunnel a été terminé et camouflé ; il ne reste plus qu'à masquer le chemin ; nous transporterons les choses à notre cachette et demain nous en boucherons l'ouverture avec des bouts de bois et de la glaise. Le plan du tunnel qui porte le N° 1 se trouve dans le document I. Pour le reste rien de nouveau ; à partir de demain nous pouvons raisonnablement attendre des nouvelles de La Paz.

17

Le tunnel est rempli des objets qui peuvent être compromettants pour ceux de la maison et d'un peu de nourriture en conserve ; il a été assez bien camouflé.
Il n'y a eu aucune nouvelle de La Paz. Les garçons de la maison ont parlé avec Argañaraz auquel ils ont fait quelques achats et celui-ci a insisté à nouveau sur leur participation à la fabrication de cocaïne.

18

Sans nouvelle de la Paz. Pachungo et Pombo sont retournés faire une reconnaissance du torrent, mais ils ne sont pas convaincus que ce soit le campement idéal. Lundi nous irons voir avec Tumaini. Argañaraz est venu pour sortir quelques pierres du torrent pour arranger le chemin et il est resté un bon moment à faire ce travail. Il n'a pas l'air de soupçonner notre présence ici. Tout se passe dans la monotonie ; les moustiques et les tiques ont commencé à provoquer des plaies dans les piqûres infectées. Le froid se fait un peu sentir à l'aube.

19

Sans nouvelle de la Paz. Rien de nouveau ici ; nous passons la journée enfermés, car c'est samedi, jour où les chasseurs se déplacent.

20

Marcos et Rolando sont arrivés à midi. Maintenant nous sommes six. On a tout de suite raconté les détails du voyage. S'ils ont tellement tardé, c'est que l'avis leur est parvenu il y a seulement une semaine. Ce sont ceux qui ont voyagé le plus rapidement, par la route de Sao Paulo. Il ne faut pas attendre les quatre autres avant la semaine prochaine.

Rodolfo est venu avec eux, il m'a fait très bonne impression. il semble, plus que Bigotes, prêt à rompre avec tout. Papi [4], violant les instructions, lui a fait part, ainsi qu'à Coco, de ma présence ; il semble que cela corresponde à une jalousie sur le plan de l'autorité. J'ai écrit à Manila en lui faisant quelques recommandations (document I et II) et à Papi en répondant à ses questions. Rodolfo est reparti à l'aube.

21

Premier jour pour le groupe élargi. Il a pas mal plu et le déménagement à notre nouveau point nous a valu d'être trempés. Nous voici installés. La tente s'est avérée être une bâche de camion qui prend l'eau, mais elle protège un peu. Nous avons notre hamac et sa couverture de nylon. Quelques armes supplémentaires sont arrivées. Marcos a un Garand, on donnera à Rolando un M-1 du dépôt. Jorge est resté avec nous, mais dans la maison ; il dirigera les travaux d'amélioration de la ferme. J'ai demandé à Rodolfo de me trouver un agronome de confiance. Nous allons esayer de faire en sorte que ça dure le plus possible.

22

Tuma, Jorge et moi avons parcouru les lieux, par la rivière (Nacahusu) pour examiner le torrent découvert. Avec la pluie de la veille, la rivière était méconnaissable et nous avons eu beaucoup de mal à arriver à l'endroit voulu. C'est un filet d'eau dont l'embouchure est bien resséréе, convenablement préparée elle peut être utilisée pour un campement permanent. Nous sommes revenus à neuf heures passées. Ici, rien de nouveau.

23

Nous avons inauguré un observatoire qui domine la ferme pour pouvoir être prévenus au cas où il y aurait une inspection ou une visite gênante. Comme deux d'entre nous vont partir en reconnaissance il échoit à ceux qui restent trois heures de garde. Pombo et Marcos ont exploré le terre-plein de notre campement jusqu'au torrent qui est encore en crue.

24

Pacho et Rolando sont partis examiner le torrent ; ils doivent revenir demain.

En fin de soirée, deux péons d'Argarañaz sont venus « en se promenant » nous faire une visite insolite. Il n'y avait

4. Apparaîtra également sous les noms de Ricardo et Chinchu.

rien de bizarre, mais Antonio qui était avec les explorateurs et Tuma qui fait officiellement partie de la maison étaient absents. Prétexte : la chasse.

Anniversaire d'Aliucha.

25

On nous a informés, de l'observatoire, qu'une jeep était arrivée avec 2 ou trois occupants. Il s'est avéré qu'il s'agissait d'un service de lutte contre le paludisme ; ils sont repartis aussitôt après nous avoir fait une prise de sang. Pacho et Rolando sont revenus le soir, très tard. Ils ont trouvé le torrent indiqué sur la carte et l'ont examiné, en outre ils ont continué à remonter le cours principal de la rivière jusqu'à ce qu'ils trouvent des champs abandonnés.

26

Nous restons cantonnés, car c'est samedi. J'ai demandé à Jorge d'aller explorer à cheval le lit de la rivière pour voir jusqu'où elle va ; le cheval n'était pas là et il est allé à pied (20 à 25 km) en demander un à Don Remberto. Le soir il n'était pas rentré. Sans nouvelle de la Paz.

27

Jorge n'a toujours pas réapparu. J'ai donné l'ordre de monter la garde toute la nuit, mais à 9 heures est arrivé la première jeep de la Paz. Avec Coco, se trouvaient Joaquin et Urbano ainsi qu'un Bolivien qui est venu pour rester : Ernesto, étudiant en médecine. Coco a fait un autre voyage et a ramené Ricardo avec Braulio et Miguel, ainsi qu'un autre Bolivien, Inti, qui va aussi rester. Maintenant nous sommes 12 rebelles et Jorge qui joue le rôle de patron de la ferme ; Coco et Rodolfo se chargeront des contacts. Ricardo a apporté une nouvelle embêtante : El Chino est en Bolivie, il veut me voir et nous envoyer 20 hommes. Cela présente des inconvénients parce que cela va situer la lutte sur un plan multinational avant d'avoir consulté Estanislao [5]. La décision à laquelle nous nous sommes finalement arrêtés c'est qu'on l'envoie à Santa Cruz et que Coco irait le chercher pour l'amener ici. Coco est parti à l'aube avec Ricardo qui doit prendre l'autre jeep pour continuer jusqu'à la Paz. Coco doit passer chez Remberto pour s'enquérir de Jorge.

Au cours d'une conversation préliminaire avec Inti, celui-ci a dit qu'à son avis Estanislao ne rejoindrait pas la guérilla, mais il a l'air décidé à couper les amarres.

5. Appelé aussi El Negro, Mario, ou simplement Monje. Ne pas confondre avec un guérillero du groupe de Joaquín également surnommé El Negro. (N.d.Ed).

28

Ce matin, Jorge n'avait toujours pas réapparu et Coco n'était pas non plus revenu. Ils sont arrivés par la suite et ce qui s'est passé c'est qu'il était resté chez Remberto.

Un peu irresponsable. Dans l'après-midi j'ai convoqué le groupe des Boliviens pour leur exposer la demande des Péruviens d'envoyer 20 hommes et tous ont été d'accord pour qu'ils les envoient, mais après que les opérations auront été commencées.

29

Nous sommes allés faire un relevé topographique de la rivière et examiner le torrent qui sera notre prochain campement. Le groupe était composé de Tumaini, Urbano, Inti et moi. La rivière est très sûre, mais sinistre. Nous allons essayer d'en trouver une autre qui doit être à une heure d'ici. Tumaini est tombé et on dirait qu'il s'est fracturé le tarse. Nous sommes arrivés au campement dans la soirée après avoir mesuré la rivière. Ici rien de nouveau ; Coco est parti à Santa Cruz attendre El Chino.

30

Marcos, Pacho, Miguel et Pombo sont partis avec mission d'examiner une rivière qui se trouve plus loin. Ils doivent rester absents deux jours. Il a pas mal plu. A la maison, rien de nouveau.

ANALYSE DU MOIS

Tout a assez bien marché : mon arrivée, sans incident ; il en a été de même pour la moitié des gens qui sont ici, bien qu'ils aient eu du retard ; les principaux collaborateurs de Ricardo prennent le maquis contre vents et marées. Les choses se présentent bien dans cette région isolée où tout indique que nous pourrons rester aussi longtemps que nous le jugerons nécessaire. Les projets sont : attendre le reste des gens, augmenter le nombre des boliviens au moins jusqu'à vingt et commencer les opérations. Il faut voir quelle sera la réaction de Monje et comment vont se comporter les gens de Guevara.

Décembre 1966

1er

La journée s'est passée sans rien de neuf. Dans la soirée sont arrivés Marcos et ses compagnons qui ont fait un parcours plus long que prévu, d'une colline à l'autre. A deux heures du matin on m'a informé de l'arrivée de Coco en compagnie d'un camarade ; j'ai laissé cela pour demain.

2

El Chino arrive de bonne heure, ce sont de grandes effusions de sa part. Nous passons la journée à bavarder. L'essentiel : il ira à Cuba et donnera personnellement des informations sur la situation, on pourra incorporer cinq péruviens dans notre groupe d'ici deux mois, c'est-à-dire quand nous aurons commencé à agir ; pour l'instant, il en viendra deux, un technicien de radio et un médecin qui resteront quelque temps avec nous. Il a demandé des armes et j'ai accepté de lui donner une BZ, quelques mausers et des grenades ainsi que d'acheter des M-1 pour eux. J'ai également décidé de leur donner mon appui pour qu'ils envoient 5 Péruviens établir une liaison pour passer des armes par une région proche de Puno, de l'autre côté du Titicaca. Il m'a aussi parlé de ses soucis au Pérou et d'un plan audacieux pour libérer Calixto qui me paraît un peu du domaine du rêve. Il pense que quelques survivants de la guérilla opèrent dans la région, mais ils n'en sont pas absolument sûrs, car ils n'ont pas pu arriver jusqu'à cet endroit.

Le reste de la conversation a été anecdotique. Il a pris congé avec le même enthousiasme, pour se rendre à la Paz ; il emporte des photos de nous. Coco a ordre de préparer des contacts avec Sanchez (que je verrai plus tard) et de se mettre en rapport avec le Chef des informations de la Présidence qui a proposé de nous donner des renseignements car c'est un beau-frère d'Inti. Le réseau en est encore à ses premiers pas.

3

Rien de nouveau. Pas de reconnaissance, car c'est samedi. Les trois péons de la propriété partent faire des courses à Lagunillas.

4

Rien de nouveau. Tout le monde est resté tranquillement là car c'est dimanche. J'ai fait une causerie sur notre attitude vis-à-vis des boliviens qui viendront et face à la guerre.

5

Rien de nouveau. Nous avions l'intention de sortir, mais il a plu toute la journée. Il y a eu une petite alarme à cause de quelques coups de feu tirés par Loro, sans prévenir.

6

Nous sommes sortis pour commencer la deuxième cave, dans le premier torrent. Il y a Apolinar [1], Inti, Urbano, Miguel et moi. Miguel vient remplacer Tuma qui n'est pas remis de sa chute. Apolinar envisage de s'incorporer à la guérilla, mais il veut aller régler ses affaires personnelles à la Paz. On lui a répondu oui, mais qu'il faut qu'il attende un peu. Vers 11 heures nous sommes arrivés au torrent, nous avons fait un sentier camouflé et nous avons fait une reconnaissance des lieux pour trouver un endroit convenable pour la cave, mais c'est de la pierre et le torrent, desséché par endroits, poursuit son cours plus loin entre des pans de pure rocaille. Nous remettons la reconnaissance à demain. Inti et Urbano sont partis pour essayer de chasser du gibier, car la nourriture baisse et nous devons tenir avec ce qui nous reste jusqu'à vendredi.

1, Apparaît également sous le nom de Polo (N.d.Ed.).

7

Miguel et Apolinar ont trouvé un endroit convenable et se sont livrés à la confection d'un tunnel ; les outils ne servent à rien. Inti et Urbano sont revenus sans rien, mais dans la soirée, Urbano a tué une paonne sauvage avec son M-1 ; comme nous avions déjà de quoi dîner, nous l'avons gardée pour le déjeuner de demain.

En réalité il y a aujourd'hui un mois que nous sommes ici, mais, pour des raisons de commodité, je ferai une synthese toutes les fins de mois.

8

Nous sommes allés avec Inti jusqu'à un terre-plein qui surplombe le torrent. Miguel et Urbano ont continué le trou. Dans l'après-midi, Apolinar a remplacé Miguel. A la tombée de la nuit, Marcos, Pombo et Pacho sont revenus, ce dernier, à la traine et tres fatigué. Marcos m'a demandé de le retirer de l'avant-garde s'il n'allait pas mieux. J'ai fait un relevé du chemin de la cave qui est sur le plan II. Je leur ai indiqué les travaux les plus importants à faire tant qu'ils sont la. Miguel restera avec eux et nous reviendrons demain.

9

Nous revenons lentement, dans la matinée, et nous arrivons aux environs de midi. Pacho a reçu l'ordre de rester quand le groupe reviendra. Nous avons essayé de joindre le campement 2 mais nous n'avons pas pu le faire. Il n'y a rien eu de nouveau.

10

La journée s'est passée sans rien de nouveau, sauf la première fournée de pain faite dans la maison. J'ai parlé avec Jorge et Inti de certaines tâches urgentes. Il n'y a aucune nouvelle de la Paz.

11

La journée s'est passée sans rien de nouveau, mais vers le soir Coco est apparu avec Papi. Il ramenait Alejandro et Arturo ainsi qu'un Bolivien, Carlos. L'autre jeep est restée, comme d'habitude, sur la route. Ils ont ensuite ramené le médecin Moro[2], Benigno et deux Boliviens ; tous les deux

2. Apparaîtra également sous les noms de Morogoro, Muganga ou le Médecin. (N.d.Éd.).

cambas[3] de la propriété de Caranavi. La soirée s'est passée comme d'habitude à raconter le voyage et à commenter l'absence d'Antonio[4] et de Félix[5] qui devraient déjà être là. On a discuté avec Papi et décidé qu'il devrait faire encore deux voyages pour ramener Renan[6] et Tania. Les maisons et les dépôts vont être liquidés et une aide de 1 000 $ sera donnée à Sanchez. Il gardera la camionnette, nous vendrons une jeep à Tania et nous garderons l'autre. Il reste à faire un voyage d'armes et je lui ai donné l'ordre de tout charger dans une jeep pour ne pas faire traîner le transbordement des armes qui peut être plus vite découvert. El Chino est parti pour Cuba, apparemment très enthousiasmé et il compte repasser par ici à son retour. Coco est resté ici pour aller chercher de la nourriture à Camiri et Papi est parti pour la Paz. Il s'est produit un incident dangereux : le chasseur de Valle Grande a découvert une piste faite par nous, il a vu des traces de pas ; apparemment il a aperçu quelqu'un et il a trouvé un gant que Pombo avait perdu. Cela change nos plans et il nous faut faire très attention. Il va partir demain avec Antonio pour lui montrer où il a mis ses pièges pour les tapirs. Inti m'a fait part de ses réserves vis-à-vis de l'étudiant Carlos qui, en arrivant, a déjà amené la discussion sur la participation cubaine et qui, auparavant, avait déclaré qu'il ne prendrait pas le maquis sans la participation du parti. Rodolfo l'a envoyé au diable parce que, dit-il, tout cela vient d'une mauvaise interprétation.

12

J'ai parlé à tout le groupe en lui faisant la leçon sur la réalité de la guerre. J'ai insisté sur le commandement unique et sur la discipline et j'ai attiré l'attention des Boliviens sur la responsabilité qu'ils prenaient en violant la discipline de leur parti pour adopter une autre ligne. J'ai fait des nominations : Joaquín[7], deuxième chef militaire, Rolando et Inti, commissaires ; Alejandro, chef des opérations ; Pombo, intendance ; Inti, finances ; Nato, ravitaillement et armement ; pour l'instant, Moro, services médicaux. Rolando et Braulio sont allés prévenir le groupe de rester tranquillement là bas en attendant que le chasseur de Valle Grande pose ses pièges ou parte en reconnaissance avec Antonio. Ils sont

3. Originaires de la région orientale de Bolivie. (N.d.Ed.).
4. Ou Olo. (N.d.Ed.).
5. Ailleurs El Rubio. (N.d.Ed.).
6. Iván. (N.d.Ed.).
7. Apparaîtra également sous le nom de Vilo. (N.d.Ed.).

revenus le soir ; le piège n'est pas très loin. Ils ont saoulé le chasseur qui est reparti le soir, très content avec une bouteille de singani dans l'estomac. Coco est revenu de Caranavi où il a acheté le ravitaillement nécessaire, mais il a été vu par quelques personnes de Lagunillas qui ont été surprises des quantités qu'il a achetées.

Plus tard Marcos est arrivé avec Pombo. Il souffre d'une blessure à l'arcade sourcillière qu'il s'est faite en coupant un bout de bois ; on lui a fait deux points de suture.

13

Joaquín, Carlos et le Médecin sont partis pour rejoindre Rolando et Braulio. Pombo les accompagnait avec l'ordre de revenir le jour même. J'ai fait boucher le chemin et j'en ai fait un autre qui part de celui-ci et qui débouche sur la rivière. La réussite est telle que Pombo, Miguel et Pacho se sont perdus au retour et ont continué par le même chemin.

On a parlé avec Apolinar qui ira passer quelques jours chez lui, à Viacha, on lui a donné de l'argent pour sa famille et on lui a recommandé un mutisme absolu. Coco a pris congé de nous ce soir, mais à 3 heures on a donné l'alarme parce qu'on avait entendu des sifflements et des bruits et que la chienne avait aboyé ; c'était lui qui s'était perdu dans les bois.

14

Journée sans rien de nouveau. Le gars de Valle Grande est passé à la maison en allant voir son piège car il l'avait posé hier, contrairement à ce qu'il avait dit d'abord. On a montré à Antonio le chemin ouvert dans les bois pour qu'il le fasse passer par là afin d'éviter les soupçons.

15

Rien de nouveau. On a prévu une sortie (8 hommes) pour nous installer définitivement au campement 2.

16

Nous sommes partis ce matin Pombo, Urbano, Tuma, Alejandro, Moro, Arturo, Inti et moi définitivement ; très chargés. Le parcours s'est fait en trois heures. Rolando est resté avec nous et Joaquín, Braulio, Carlos et le médecin sont repartis. Carlos s'est avéré être un bon marcheur et un bon travailleur. Moro et Tuma ont découvert une cavité de la rivière pleine de poissons assez grands et en ont pris 17 ce qui fait un bon repas ; Moro s'est blessé à la main avec un silure. On a cherché un endroit où l'on puisse faire une cave secondaire, la première étant terminée et on a suspendu les activités jusqu'à demain. Moro lui-même et Inti ont essayé de chasser le tapir et sont allés passer la nuit à l'affût.

17

Moro et Inti n'ont réussi à tuer qu'une paonne sauvage. Nous, Tuma, Rolando et moi, nous nous occupons de creuser la cave secondaire qui a des chances d'être prête demain. Arturo et Pombo ont cherché un endroit où installer la radio et ensuite ils se sont occupés d'arranger le chemin d'accès qui est assez mauvais. Dans la soirée il a commencé à pleuvoir et cela n'a pas cessé jusqu'au matin.

18

La pluie a duré toute la journée, mais on a continué la cave ; il manque très peu pour qu'elle atteigne les 2,50 m requis. Nous avons inspecté une colline pour y installer le groupe radio. Elle a l'air assez bien, mais il faut vérifier cela à l'usage.

19

Encore une journée pluvieuse et qui n'incite pas à la promenade, mais vers 11 heures, Braulio et Nato sont arrivés avec la nouvelle que la rivière, quoique profonde, était praticable. Au moment où nous sortions, nous avons rencontré Marcos et son avant-garde qui venaient s'installer. Il gardera le commandement et on lui a donné l'ordre d'envoyer 3 à 5 hommes, selon les possibilités. Nous avons fait le parcours en un peu plus de trois heures.

Dans la soirée, vers minuit, Ricardo et Coco sont arrivés ramenant Antonio et El Rubio (ils n'avaient pas pu avoir de billets jeudi dernier) et Apolinar qui vient s'engager définitivement. En outre Ivan est arrivé pour régler un tas d'affaires.

On a pratiquement passé une nuit blanche.

20

On a procédé à la discussion de certains points et tous les ordres avaient été donnés quand est apparu le groupe du campement 2, conduit par Alejandro, annonçant qu'on avait trouvé sur le chemin près du campement un gibier abattu d'un coup de feu et portant un lacet à la patte. Joaquín était passé par là une heure avant et n'avait rien dit. On a supposé que le chasseur de Valle Grande l'avait traîné jusque là et que, pour une raison inconnue, il l'avait abandonné en s'enfuyant. On a mis une garde un peu à l'arrière et on a envoyé deux hommes pour qu'ils ramènent le chasseur, s'il se montrait. Un instant après, on apprenait que le gibier était mort depuis quelque temps et plein de vers et, par la suite, Joaquín a confirmé l'avoir bien vu. Coco et Loro ont ramené le chasseur pour lui montrer la petite bête et il a décrété qu'il s'agissait d'un animal qu'il avait blessé il y a quelques jours. L'incident a été clos.

On a décidé : de se presser de prendre contact avec l'homme de l'information que Coco a négligé et de parler avec Megia pour qu'il serve d'agent de liaison entre Ivan et le gars de l'information. Celui-ci gardera des rapports avec Megia, Sanchez, Tania et le représentant du parti qui n'a pas été nommé. Il se pourrait que ce soit quelqu'un de Villamontes, mais il faut le vérifier. On a reçu un télégramme de Manila indiquant que Monje arrive par le sud.

Ils ont inventé un système de contacts, mais il ne me satisfait pas car il prouve clairement une suspicion envers Monje de la part de ses propres camarades.

A une heure du matin, on nous fera savoir de la Paz s'il est déjà parti ; Ivan a la possibilité de faire des affaires, mais son passeport mal fait ne le lui permet pas ; la prochaine fois il faudra améliorer ce document et il faut qu'il écrive à Manila que les amis fassent les choses vite.

Tania viendra la prochaine fois pour prendre des instructions ; je l'enverrai sans doute à Buenos Aires.

En définitive on a décidé que Ricardo, Ivan et Coco partiraient en avion de Camiri et que la jeep resterait ici. Quand ils reviendront, ils téléphoneront à Lagunillas et feront savoir qu'ils sont là ; Jorge ira dans la soirée demander des nouvelles et les chercher s'il y a quelque chose de positif. A une heure, on n'a rien pu capter de la Paz. Ils sont partis à l'aube pour Camiri.

21

El Loro ne m'avait pas laissé les plans qu'avait faits l'explorateur, si bien que je ne savais toujours pas quel genre de chemin il y a jusqu'au Yaqui. Nous sommes partis le matin et nous avons fait route sans encombre. Il faudra que tout soit prêt pour le 24, jour pour lequel on a prévu une fête. Nous avons croisé Pacho, Miguel, Benigno et Camba qui allaient charger le groupe radio. A cinq heures de l'après-midi Pacho et Camba sont revenus sans apporter le groupe-radio qu'ils ont laissé caché dans les bois tellement il était lourd. Demain, 5 hommes partiront d'ici pour l'emporter. La cave aux marchandises est terminée, demain nous commencerons celle de la radio.

22

Nous avons commencé la cave de la radio. Au début, ave succès, en terre molle, mais nous avons rapidement rencontré une bande pierreuse très dure qui ne nous a pa permis d'avancer. Ils ont apporté le groupe radio qui es assez lourd mais on ne l'a pas essayé, faute d'essence. Lor a annoncé qu'il n'envoyait pas de carte parce que l'information était verbale et qu'il viendrait demain l'apporter.

23

Nous sommes partis Pombo, Alejandro et moi explore le terre-plein de gauche. Il faudrait y ouvrir un chemin mai on a l'impression qu'on peut y avancer commodément Joaquín est venu avec deux camarades annoncer que E Loro ne pouvait pas venir parce qu'un cochon s'était échapp et qu'il était parti à sa recherche. Aucune nouvelle d chemin pris par le gars de Lagunillas.

Dans l'après-midi, le cochon est arrivé. Assez gros, mais i manque des boissons. Loro n'est même pas capable de s procurer des choses de ce genre, il semble très mal organis

24

Jour consacré à la veillée de Noël. Il y a des gens qui on fait deux voyages et qui sont arrivés tard, mais finalemen nous avons été tous réunis et nous l'avons bien fêtée, certains un peu partis. Loro a expliqué que le voyage de l'homme de Lagunillas n'avait pas donné de résultats et qu'il avai tout juste obtenu un croquis, très imprécis.

25

Retour au travail, il n'y a pas eu de voyage au campemen de départ. On l'a baptisé C 26, sur la proposition du médeci bolivien. Marcos, Benigno et el Camba sont partis faire u chemin pour se rendre au terre-plein de droite, ils son revenus tard dans la soirée et ont raconté qu'ils avaien aperçu une espèce de pampa pelée à deux heures de chemin ; ils y arriveront demain. Camba est revenu avec de l fièvre. Miguel et Pacho ont tracé quelques chemins d diversion dans la partie de gauche et une route d'accè à la cave de la radio. Inti, Antonio, Tuma et moi avon continué la cave de la radio qui est très difficile à creuse car c'est de la pierre. L'arrière-garde s'est chargée de fair son campement et de chercher un endroit pour le gu qui domine les deux extrémités de la rivière d'accès l'endroit choisi est très bon.

26

Inti et Carlos sont allés faire une reconnaissance jusqu'au point dit Yaki sur la carte ; c'est un voyage pour lequel il faut compter deux jours. Rolando, Alejandro et Pombo ont continué à travailler à la cave qui est très dure. Pacho et moi nous sommes allés inspecter les chemins faits par Miguel, ça n'est pas la peine de continuer celui qui mène au terre-plein. Le chemin d'accès à la cave n'est pas mal et difficile à trouver. On a tué deux vipères et hier une autre ; il semble qu'il y en ait pas mal. Tuma, Arturo, el Rubio et Antonio sont partis à la chasse et Braulio et Nato sont restés de garde à l'autre campement. Ils ont raconté que la voiture de Loro s'était retournée et ont apporté la note explicative qui annonce l'arrivée de Monje. Marcos, Miguel et Benigno sont partis agrandir le chemin du terre-plein mais ne sont pas revenus de la soirée.

27

Nous sommes allés avec Tuma pour essayer de trouver Marcos ; nous avons marché 2 heures et demie jusqu'à la naissance d'un ravin qui descendait du côté gauche vers l'est, nous avons suivi les traces par là et sommes descendus par des escarpements assez raides. Je pensais arriver au campement par ce chemin mais nous avons marché des heures sans y arriver. Après 5 heures de l'après-midi nous sommes arrivés au Nacahuasu, à 5 kilomètres en dessous du campement 1, et à 7 heures au campement. Là nous avons appris que Marcos y avait passé la nuit précédente. Je n'ai fait prévenir personne, supposant que Marcos les aurait orientés vers le chemin que je pouvais prendre. Nous avons vu la jeep, assez démolie. Loro avait été à Camiri chercher les pièces de rechange. D'après Nato, il s'était endormi au volant.

28

Au moment où nous sortions pour aller au campement, Urbano et Antonio qui me cherchaient sont arrivés. Marcos avait continué avec Miguel à faire un chemin jusqu'au campement par le terre-plein et n'était pas revenu. Benigno et Pombo sont partis à ma recherche exactement par le chemin que nous avons suivi. En arrivant au campement, j'ai rencontré Marcos et Miguel qui avaient passé la nuit dans un terre-plein sans pouvoir revenir au campement et celui-là s'est plaint à moi de la façon dont j'avais été traité. Il semble que les plaintes étaient dirigées contre Joaquin, Alejandro et le médecin. Inti et Carlos étaient revenus sans avoir trouvé de maison habitée, rien qu'une maison abandonnée qui, vraisemblablement, ne correspond pas au point dit Yaki sur la carte.

29

Avec Marcos, Miguel et Alejandro, nous sommes allés vers la colline pelée pour mieux nous rendre compte de la situation. Il semble que ce soit le commencement de la Pampa del Tigre ; c'est une cordillère d'une hauteur uniforme et aux sommets pelés, située à quelque 1 500 mètres d'altitude. Le terre-plein de gauche doit être rejeté car il fait une courbe vers le Nacahuasu. Nous sommes descendus et nous sommes arrivés au campement en une heure vingt minutes. On a envoyé 8 hommes chercher les marchandises et ils n'ont pas réussi à tout ramener. El Rubio et le médecin ont remplacé Braulio et Nato ; celui-ci a fait un nouveau chemin avant de venir ; ce chemin sort du torrent par quelques pierres et s'enfonce dans les bois de l'autre côté, il est entièrement caillouteux ce qui permet de ne pas laisser de traces. On n'a pas travaillé à la cave. Loro est parti pour Camiri.

30

Malgré la pluie qui avait fait monter la rivière, 4 hommes ont été liquider les restes du campement 1, maintenant tout est net. Il n'y avait pas de nouvelles de l'extérieur. Six hommes ont été à la cave en deux voyages, ils ont caché tout ce qui était destiné à être caché. Le four n'a pas pu être terminé, car la glaise était trop molle.

31

A 7 h. 30, le Médecin est venu annoncer que Monje était là. J'y suis allé avec Inti, Tuma, Urbano et Arturo. La réception a été cordiale mais tendue ; une question planait dans l'air « qu'est-ce que tu veux ? » Il était accompagné de « Pan Divino »[8], la nouvelle recrue, de Tania qui vient prendre des instructions, et de Ricardo qui va maintenant rester.

La conversation avec Monje a commencé sur des généralités, mais elle est vite passée aux problèmes fondamentaux qui peuvent être résumés en trois conditions de base qu'il pose

1) Il renoncerait à la direction du parti, mais obtiendrait au moins de lui qu'il reste neutre et certains de ses cadres en sortiraient pour rejoindre la lutte.

8. Cité ailleurs sous le nom de Pedro. (N.d.Ed.).

2) La direction politico-militaire de la lutte lui reviendrait à lui, dans la mesure où la révolution se déroulerait en terre bolivienne.

3) Il établirait des rapports avec d'autres partis sud-américains pour essayer de les amener à une position de soutien des mouvements de libération (il a donné comme exemple Douglas Bravo).

Je lui ai répondu que le premier point dépendait de lui, en tant que secrétaire du parti, bien que je considère sa position comme une terrible erreur. Elle est hésitante, toute de compromis et tend à préserver pour l'histoire le rôle de ceux qui doivent être condamnés en raison de leur position boiteuse. Le temps me donnera raison.

Sur le troisième point, je ne voyais pas d'inconvénient à ce qu'il essaye de faire cela, mais c'était condamné à l'échec. Demander à Codovila de soutenir Douglas Bravo c'était comme si on lui demandait de favoriser un soulèvement dans son propre parti. Le temps, là aussi serait juge.

Quant au deuxième point, je ne pouvais en aucun cas accepter. Le chef militaire, ce serait moi et je n'acceptais pas d'ambiguïté là-dessus. La discussion s'est arrêtée là et c'est devenu un cercle vicieux.

Nous avons convenu qu'il réfléchirait et qu'il en parlerait avec les camarades boliviens. Nous nous sommes transportés au nouveau campement et là il a parlé avec tous les camarades en leur posant le dilemme : rester ou soutenir le parti ; tous sont restés et il semble qu'il en a été affecté.

A midi nous avons porté un toast au cours duquel il a signalé l'importance historique de la date et j'ai répondu, profitant de ses paroles pour marquer cet instant comme étant le nouvel appel de Murillo de la révolution continentale et dire que nos vies ne signifiaient rien face à la révolution.

Fidel m'a envoyé les messages ci-joints.

ANALYSE DU MOIS

L'équipe cubaine a été complétée avec succès ; le moral des gens est bon et il n'y a que de tout petits problèmes. Les Boliviens, quoique peu nombreux, sont bien. L'attitude de Monje peut retarder le développement de la guérilla d'une part, mais d'autre part elle peut y contribuer en me libérant des compromis politiques. Les prochaines démarches, à part d'attendre d'autres boliviens, consisteront à parler avec Guevara et les argentins Mauricio[9] et Jozami (Masseti et le parti dissident).

9. Apparaîtra également sous les noms de El Pelao et Carlos. (N.d.Ed.).

Janvier 1967

1er

Ce matin, sans discuter avec moi, Monje m'a fait savoir qu'il s'en allait et qu'il allait présenter sa démission de la direction du parti le 8/1. Sa mission, d'après lui, était terminée. Il est parti avec l'air de quelqu'un qui s'en va au gibet. J'ai l'impression qu'il s'est rendu compte, à travers Coco, de ma décision de ne pas céder en ce qui concerne les affaires stratégiques et qu'il s'est accroché à ce point pour forcer la rupture, car ses arguments sont inconsistants.

Dans l'après-midi, j'ai réuni tout le monde et j'ai expliqué l'attitude de Monje ; j'ai annoncé que nous ferions l'unité avec tous ceux qui voudront faire la révolution et j'ai prédit des moments difficiles et des jours d'angoisse morale pour les Boliviens ; nous essaierons de résoudre les problèmes au moyen de la discussion collective et avec les commissaires.

J'ai donné des précisions au sujet du voyage de Tania en Argentine pour rencontrer Mauricio et Jozami et les convoquer ici. Avec Sanchez nous avons précisé quelles tâches lui incomberaient et nous avons résolu de laisser à la Paz, Rodolfo, Loyola, Humberto pour l'instant. A Camiri, une sœur de Loyola et à Santa Cruz, Calvimonte. Mito fera un voyage dans la région de Sucre pour voir où il pourrait s'installer. Loyola sera chargée du contrôle des finances et on lui envoie 80 mille, sur lesquels il y a 20 mille pour un camion que doit acheter Calvimonte. Sanchez prendra contact avec Guevara pour avoir une entrevue avec lui. Coco ira à Santa Cruz pour s'entretenir avec un frère de Carlos et le charger de recevoir les 3 arrivants de la Havane. J'ai écrit à Fidel le message qui, dans les documents, correspond à C ZO N° 2.

2

On a passé la matinée à chiffrer la lettre. Les gens (Sanchez, Coco et Tania) sont partis dans l'après-midi, juste après la fin du discours de Fidel. Celui-ci a parlé de nous en des termes qui nous engagent encore plus, s'il est possible.

Au campement on n'a travaillé qu'à la cave, les autres sont partis chercher les affaires du premier campement. Marcos, Miguel et Benigno sont allés faire une reconnaissance vers le nord ; Inti et Carlos ont exploré le Nacahuazu jusqu'à ce qu'ils trouvent des gens, vraisemblablement jusqu'à Yaki ; Joaquín et le Médecin doivent explorer le Yaki jusqu'à sa source ou jusqu'à ce qu'ils rencontrent des gens. Tous ont un délai maximum de cinq jours.

Ceux du campement sont revenus avec la nouvelle que Loro n'était pas rentré, après avoir quitté Monje.

3

Nous travaillons à la cave, pour lui faire un plafond, sans y parvenir ; il faut finir demain. Deux hommes seulement ont été chercher les affaires et ils sont revenus en annonçant que tout le monde était parti hier soir. Le reste des camarades s'est occupé de faire le toit de la cuisine ; il est déjà prêt.

6

Dans la matinée, Marcos, Joaquín, Alejandro, Inti et moi nous sommes allés à la colline pelée. Là, j'ai pris la décision suivante : Marcos, avec Camba et Pacho essaieront d'arriver au Nacahuasu par la droite, sans rencontrer de gens ; Miguel, avec Braulio et Aniceto, chercheront un passage dans le terre-plein pour faire le chemin central ; Joaquín, avec Benigno et Inti chercheront un passage vers le Frías dont le cours, d'après la carte, est parallèle à celui du Nacahuasu, de l'autre côté de la colline qui doit être la Pampa del Tigre.

Dans l'après-midi, Loro est arrivé avec deux mules qu'il avait achetées deux mille pesos ; bon achat ; ce sont des bêtes douces et fortes. On a envoyé chercher Braulio et

Pacho pour que celui-ci puisse partir demain ; Carlos et le Médecin les ont remplacés.

Après le cours, j'ai fait une petite glose sur les qualités de la guérilla et la nécessité d'une plus grande discipline et j'ai expliqué que notre mission est avant tout de former un noyau exemplaire, qui doit être d'acier, et par ce biais j'ai expliqué l'importance de l'étude, indispensable pour l'avenir. Ensuite, j'ai réuni les responsables, Joaquín, Marcos, Alejandro, Inti, Rolando, Pombo, le Médecin, Nato et Ricardo. J'ai expliqué pourquoi on avait choisi Joaquín comme second, à cause de quelques erreurs de Marcos, qui se répétaient constamment ; j'ai fait la critique de l'attitude de Joaquín dans son incident avec Miguel, au Nouvel An et après, j'ai expliqué quelques unes des tâches qu'il était nécessaire d'accomplir pour améliorer notre organisation. A la fin, Ricardo m'a raconté un incident qu'il avait eu avec Ivan, en présence de Tania, au cours duquel ils se sont engueulés et où Ricardo a ordonné à Ivan d'abandonner la jeep. Les incidents désagréables entre camarades gâchent le travail.

7

Les explorateurs sont partis. La « gondola »[1] était composée seulement d'Alejandro et de Nato, les autres se sont consacrés à des travaux intérieurs ; on a emmené le groupe radio et toutes les affaires d'Arturo, on a fait un petit plafond supplémentaire pour la cave et on a arrangé le puits à eau, en faisant un petit pont sur le torrent.

10

La garde fixe du vieux campement a été changée, Rubio et Apolinar ont remplacé Carlos et le Médecin. La rivière est toujours grosse, bien qu'elle commence à baisser. Loro est parti à Santa Cruz et n'est pas revenu.

Avec le Médecin (Moro), Tuma et Antonio qui doit rester pour se charger du campement, nous sommes montés à la Pampa del Tigre ; là, j'ai expliqué à Antonio sa tâche pour demain dans l'exploration d'un éventuel torrent qui se trouverait à l'ouest de notre campement. De là, nous avons cherché à rejoindre l'ancien chemin de Marcos et nous y sommes arrivés avec une relative facilité. A la tombée de la nuit, 6 des explorateurs sont revenus. Miguel, avec Braulio et Aniceto ; Joaquín avec Benigno et Inti. Miguel et Braulio ont réussi à trouver une issue vers la rivière qui coupait le

1. Expression populaire bolivienne pour désigner l'autobus. Il s'agissait dans ce cas de faire la navette pour transporter du ravitaillement. (N.d.Ed.).

terre-plein et sont tombés sur une autre qui semble être le Nacahuasu. Joaquín a réussi à descendre la rivière qui doit être le Frías et il en a un peu suivi le cours ; cela a l'air d'être la même que celle qu'ont suivie ceux de l'autre groupe, ce qui indique que nos cartes sont très mauvaises car les deux rivières y sont notées comme étant séparées par un massif et débouchent séparément sur le Grande. Marcos n'est pas encore revenu.

On a reçu un message de La Havane où l'on annonce qu'El Chino part le 12 avec le médecin et le technicien-radio, et Rea le 14. On n'y parle pas de nos autres camarades.

11

Antonio est allé faire une reconnaissance du torrent voisin avec Carlos et Arturo ; il est revenu dans la soirée et le seul renseignement concret qu'il en ait ramené c'est que le torrent se jette dans le Nacahuasu, en face du pâturage où l'on chasse.

Alejandro et Pombo se sont occupés à dresser des cartes dans la cave d'Arturo et sont venus m'annoncer que mes livres s'étaient mouillés ; quelques-uns s'étaient défaits et les postes de communication radio étaient mouillés et oxydés. Si l'on ajoute à cela que les deux radios étaient cassées, on aura un triste tableau des aptitudes d'Arturo.

Marcos est arrivé dans la soirée ; il était tombé sur le Nancahuasu, très en arrière, et n'était même pas arrivé jusqu'au confluent de celui-ci avec le présumé Frías. Je ne suis pas très sûr des cartes ni de l'identité de ce dernier cours d'eau.

Nous commençons l'étude du kechua, sous la direction d'Aniceto et de Pedro.

Jour du « boro » ; [2] on a retiré à Marcos des larves de mouches ainsi qu'à Carlos, Pombo, Antonio, Moro et Joaquín.

12

On a envoyé la « gondola » chercher ce qui restait. Loro n'était pas encore revenu. Nous avons fait quelques exercices d'escalade des collines de notre torrent, mais cela a demandé plus de deux heures pour les flancs et seulement 7 minutes pour le centre ; c'est là qu'il faut établir la défense.

Joaquín m'a dit que Marcos s'était montré blessé de l'allusion que j'avais faite à ses erreurs, au cours de la réunion de l'autre jour. Il faut que j'en parle avec lui.

2. Mouche qui dépose sa larve en piquant. (N.d.Ed.).

13

J'ai parlé avec Marcos ; il s'est plaint de ce qu'on lui avait fait des critiques devant les Boliviens. Son argumentation n'était fondée sur rien ; sauf son état émotionnel; digne d'attention, tout le reste est sans intérêt.

Il s'est référé à des phrases méprisantes qu'Alejandro aurait eues à son encontre, on a tiré cela au clair avec ce dernier et il semble qu'il ne se soit rien passé de tel, sinon un peu de mise en boite. Marcos s'est un peu calmé.

Inti et Moro sont partis à la chasse, mais ils n'ont rien attrapé.

Des équipes sont parties pour faire une cave à l'endroit où les mules peuvent arriver, mais on n'a rien pu faire dans ce sens et on a résolu de faire une petite cabane en terre.

Alejandro et Pombo ont fait une étude sur la défense de l'accès au campement et ont noté des tranchées ; demain ils continueront.

El Rubio et Apolinar sont revenus et Braulio et Pacho sont allés au vieux campement. Pas de nouvelles de Loro.

14

Marcos, avec son avant-garde, à l'exception de Benigno, a descendu la rivière pour aller faire la cabane de terre ; il ne devait revenir que le soir, mais il est revenu à midi à cause de la pluie, sans avoir terminé.

Joaquín a dirigé un groupe qui a commencé les tranchées.

Moro, Inti, Urbano et moi nous sommes sortis pour faire un chemin qui entourera notre position dans le terre-plein à droite du torrent, mais nous sommes mal partis et il a fallu longer des précipices quelque peu dangereux. A midi, il a commencé à pleuvoir et toutes les activités ont été suspendues.

Sans nouvelle de Loro.

15

Je suis resté au campement à rédiger quelques instructions pour les cadres de la ville. Comme c'est dimanche, on a travaillé une demie journée ; Marcos avec l'avant-garde à la cabane de terre, l'arrière-garde, et le centre, aux tranchées ; Ricardo, Urbano et Antonio à améliorer le chemin d'hier, chose qu'ils n'ont pas réussi à faire, car il y a un rocher à pic entre la colline qui donne sur la rivière et le terre-plein.

Il n'y a pas eu de voyage au vieux campement.

16

On a continué le travail des tranchées qui n'est pas encore terminé. Marcos a presque fini son travail et construit une petite maison assez bien. Le Médecin et Carlos ont remplacé Braulio et Pedro ; ceux-ci sont arrivés en annonçant que Loro était revenu et qu'il arrivait avec les mules, mais il ne s'est pas montré, bien qu'Aniceto ait été au devant de lui.

Alejandro présente des symptômes de paludisme.

17

Journée peu mouvementée ; on a terminé les tranchées de la première ligne et la maisonnette de terre.

El Loro est venu rendre compte de son voyage ; quand je lui ai demandé pourquoi il y avait été, il m'a répondu qu'il considérait son voyage comme prévu, il a avoué qu'il était allé voir une femme qu'il a là-bas. Il a rapporté le harnachement pour le mulet, mais il n'a pas réussi à le faire avancer dans le lit de la rivière.

Pas de nouvelles de Coco ; ça devient inquiétant.

18

Le jour s'est levé dans un ciel nuageux, aussi n'ai-je pas fait l'inspection des tranchées. Urbano, Nato, le Médecin (Moro), Inti, Aniceto, Braulio ont fait une « gondola ». Alejandro n'a pas travaillé car il se sentait malade.

Il n'a pas tardé à pleuvoir copieusement. Loro est venu sous l'averse nous informer qu'Argañaraz avait parlé avec Antonio et s'était montré au courant de beaucoup de choses ; il a proposé de collaborer avec nous pour la cocaïne ou pour quoi que ce soit, montrant par là qu'il soupçonnait quelque chose de plus. J'ai donné ordre à Loro de l'engager sans lui offrir grand chose ; simplement le règlement de tout ce qu'il transportera avec sa jeep et de le menacer de mort en cas de trahison. Etant donné la force de l'averse, Loro est reparti tout de suite pour ne pas être encerclé par la rivière.

A 8 heures la « gondola » n'était pas revenue et on a donné carte blanche pour disposer du dîner des gondoliers qui a été dévoré ; quelques minutes après arrivaient Braulio et Nato expliquant qu'ils avaient été surpris par la crue ; ils avaient essayé de continuer, mais Inti était tombé à l'eau, avait perdu son fusil et souffrait de contusions. Les autres avaient décidé de passer la nuit là-bas et eux deux avaient eu des difficultés à revenir.

19

La journée a commencé par le travail routinier de défense et d'amélioration du campement. Miguel a été pris d'une forte fièvre qui a toutes les caractéristiques du paludisme. Je me suis senti courbatu toute la journée, mais la maladie ne s'est pas déclarée.

A 8 heures du matin les 4 retardataires sont revenus avec une bonne provision de choclos[3] ; ils ont passé la nuit accroupis autour d'un feu. On attendra que la rivière baisse pour récupérer le fusil.

Aux environs de 4 heures de l'après-midi, quand Rubio et Pedro étaient déjà partis pour remplacer les deux qui étaient de garde à l'autre campement, le Médecin est venu annoncer que la police était arrivée à l'autre campement. Le lieutenant Fernandez et quatre policiers en civil étaient venus dans une jeep de location, à la recherche de la fabrique de cocaïne ; ils ont simplement perquisitionné dans la maison et leur attention a été attirée par quelques choses bizarres, comme le carbure apporté pour nos lampes et qu'on n'avait pas transporté à la cave. Ils ont enlevé son revolver à Loro, mais il lui ont laissé le mauser et le 22 ; ils ont ostensiblement enlevé un 22 à Argañaraz et ils l'ont bien montré à Loro et ils sont partis en les avertissant qu'ils étaient au courant de tout et qu'ils les avaient à l'œil. Pour son revolver, el Loro pourrait aller le réclamer à Camiri « sans faire de bruit, en venant parler avec moi », a dit le Lieutenant Fernandez. Il a demandé des nouvelles du « brésilien ».

Instruction a été donnée à el Loro de faire peur au gars de Valle Grande et à Argañaraz qui doivent être les auteurs de l'espionnage et du mouchardage et d'aller à Camiri sous le prétexte de récupérer son revolver pour essayer de se mettre en contact avec Coco (je crains qu'il ne soit plus en liberté) ; il faut qu'ils vivent le plus possible dans les bois.

20

J'ai inspecté les positions et j'ai dicté les ordres pour la réalisation du plan de défense qui a été expliqué hier soir. Il est fondé sur la défense rapide d'une zone voisine de la rivière dont dépend directement celui qui, avec quelques hommes de l'avant-garde, contre-attaque par des chemins parallèles à la rivière et qui débouchent sur l'arrière-garde.

Nous avions l'intention de faire divers exercices mais la situation continue à se détériorer dans l'ancien campement,

3. Epis de maïs tendre. (N.d.Ed.).

car un gringo vient d'y faire son apparition avec un M-2 tirant des rafales ; c'est un « ami » d'Argañaraz et il vient passer dix jours de vacances chez lui. On enverra des groupes en reconnaissance et on déménagera le campement pour s'installer plus près de la maison d'Argañaraz ; si ça explose, avant d'abandonner la zone, on lui fera sentir notre influence.

Miguel continue à avoir beaucoup de fièvre.

21

On a fait un simulacre de combat qui a raté sur certains points, mais bon, en général ; il faut insister sur la retraite qui a été le point faible de l'exercice.

Ensuite, les commissions sont parties ; une avec Braulio qui doit faire un chemin parallèle à la rivière vers l'ouest, et une autre avec Rolando qui doit faire la même chose vers l'est. Pacho est allé à la colline pelée pour essayer un poste de communication et Marcos est parti avec Aniceto pour essayer de trouver un chemin qui permette de surveiller Argañaraz comme il se doit. Tous devaient revenir avant 2 heures, sauf Marcos. Les chemins ont été faits de même que les essais d'audition qui sont satisfaisants. Marcos est revenu de bonne heure car la pluie empêchait toute visibilité.

Pedro est arrivé sous la pluie ramenant Coco et trois nouvelles recrues : Benjamin, Eusebio et Walter. Le premier qui vient de Cuba rejoindra l'avant-garde, car il a une connaissance des armes et les deux autres, l'arrière-garde. Mario Monje a parlé avec trois arrivants de Cuba et les a dissuadés de rejoindre la guérilla. Non seulement il n'a pas renoncé à la direction du parti, mais il a envoyé à Fidel le document D. IV ci-joint. J'ai reçu une note de Tania me faisant part de son départ et de la maladie d'Ivan et une autre de ce dernier, D. V. ci-joint.

Dans la soirée j'ai réuni tout le groupe et je leur ai lu le document en signalant les erreurs contenues dans les points a) et b) et j'ai lancé quelques petites critiques. Il semble qu'ils aient bien réagi. Parmi les 3 nouveaux, 2 ont l'air solides et conscients, le plus jeune est un paysan aymara qui a l'air très sain.

22

Une « gondola » de 13 personnes est partie avec en plus Braulio et Walter qui vont prendre la relève de Pedro et d'el Rubio. Ils sont revenus dans l'après-midi sans avoir pu tout prendre. Tout est calme là-bas. Au retour, el Rubio a fait une chute sans conséquence grave, mais très spectaculaire.

J'écris à Fidel, document n° 3, pour lui expliquer la situation et éprouver la boite aux lettres. Je dois l'envoyer à la Paz par Guevara s'il se présente au rendez-vous du 25 à Camiri.

Je prépare une instruction par écrit pour les cadres urbains, D III. En raison de la « gondola » il n'y a pas eu d'activité au campement. Miguel va mieux, mais c'est Carlos qui, maintenant, a été pris d'une forte fièvre. Aujourd'hui nous avons fait des cutis. On a chassé deux paons sauvages ; une des petites bêtes s'est prise dans un piège, mais celui-ci lui a tranché la patte et elle a pu s'échapper.

23

On a réparti les tâches à entreprendre à l'intérieur du campement et quelques reconnaissances à faire : Inti, Rolando et Arturo sont partis chercher un endroit qui puisse éventuellement servir de cachette au Médecin avec un blessé. Marcos, Urbano et moi avons été explorer la colline d'en face pour chercher un endroit d'où l'on puisse voir la maison d'Argañaraz ; on a réussi et on la voit assez bien.

Carlos continue à avoir la fièvre : typiquement paludéenne.

24

La « gondola » est partie avec 7 hommes et revenue de bonne heure avec les affaires et le maïs ; cette fois-ci, c'est Joaquin qui a pris un bain, il a perdu le Garand, mais il l'a récupéré, Loro est de retour et déjà caché : Coco et Antonio sont toujours au dehors, ils doivent arriver demain ou après-demain avec Guevara.

On a amélioré un des chemins pour envelopper les soldats ennemis au cas où nous serions amenés à défendre ces positions. Dans la soirée on a fait une explication de l'exercice de l'autre jour, en corrigeant les fautes.

25

Nous sommes allés avec Marcos reconnaître un chemin qui devrait déboucher sur l'arrière-garde des assaillants, nous avons mis presque une heure à y arriver, mais l'endroit est très bon.

Aniceto et Benjamin sont allés essayer le poste de transmission depuis la colline d'où l'on domine la maison d'Argañaraz, mais ils se sont perdus et il n'y a pas eu de transmission ; l'exercice doit être renouvelé. On a commencé à creuser une autre cave pour les affaires personnelles. Loro est arrivé et il a rejoint l'avant-garde. Il a parlé avec Argañaraz et il lui a dit ce que je lui avais indiqué. Celui-ci a reconnu qu'il avait envoyé l'homme de Valle Grande nous espionner, mais il a nié être l'auteur de la dénonciation. Coco a chassé ce dernier de chez lui, car Argañaraz l'avait envoyé espionner. On a reçu un message de Manila nous informant qu'il avait tout bien reçu et que Kolle va là où Simon Reyes l'attend. Fidel prévient qu'il les écoutera et sera dur avec eux.

26

A peine avions-nous commencé à travailler à la deuxième cave que nous est parvenue la nouvelle de l'arrivée de Guevara et de Loyola ; nous sommes allés à la petite maison du campement intermédiaire où ils sont arrivés à midi.

J'ai posé mes conditions à Guevara : dissolution du groupe, il n'y a de grade pour personne, il n'y a pas encore d'organisation politique et il faut éviter les polémiques autour des divergences internationales ou nationales. Il a tout accepté avec une grande simplicité et, après un début froid, les relations avec les Boliviens sont devenues cordiales.

Loyola m'a fait très bonne impression. Elle est très jeune et douce, mais on sent chez elle une grande résolution. Elle est sur le point d'être expulsée des jeunesses, mais ils essaient d'obtenir qu'elle démissionne. Je lui ai donné les instructions pour les cadres et un autre document ; en outre, j'ai remis la somme dépensée qui s'élève à 70 mille pesos. Nous allons être justes, sur le plan argent.

On nommera chef du réseau le Dr Pareja et Rodolfo viendra nous rejoindre dans 15 jours.

J'envoie une lettre à Ivan (D VI) avec des instructions.

J'ai donné ordre à Coco de vendre la jeep mais en assurant les communications avec la ferme.

A environ 7 heures, comme la nuit tombait, nous avons pris congé. Ils partiront demain soir et Guevara viendra avec le premier groupe du 4 au 14 février ; il a dit qu'il ne pouvait pas venir avant à cause des communications et qu'il ne pouvait rien tirer des hommes actuellement à cause des fêtes.

Des postes émetteurs de radio plus puissants vont arriver.

27

On a envoyé une « gondola » importante qui a presque tout ramené, mais il reste encore quelques affaires. Coco et les messagers ont dû partir dans la nuit ; ces derniers resteront à Camiri et Coco ira à Santa Cruz pour traiter la vente de la jeep après le 15.

Nous avons continué à creuser la cave. On a pris un tatou au piège. On est en train de finir les préparatifs de ravitaillement pour le voyage. En principe, nous partirons au retour de Coco.

28

La « gondola » nettoie le vieux campement. Ils racontent que le gars de Valle Grande a été surpris en train de rôder dans le champ de maïs, mais il s'est échappé. Tout indique que le moment est venu de prendre une décision au sujet de la ferme.

Le ravitaillement est maintenant complet, il y en a pour dix jours de marche et la date a été arrêtée : un ou deux jours après le retour de Coco ou le 2 février.

29

Jour de totale flânerie sauf pour les cuisiniers, les chasseurs et la garde.

Dans l'après-midi est arrivé Coco qui n'est pas allé à Santa Cruz mais à Camiri. Il a laissé Loyola continuer sa route en avion jusqu'à la Paz et Moises qui est parti en autobus à Sucre. Ils ont fixé le dimanche comme jour pour les contacts.

On a fixé le départ au 1er février.

30

La « gondola » a été de 12 hommes et elle a transporté la plus grande quantité des vivres ; il reste une charge pour 5 hommes. La chasse n'a rien donné.

On a terminé la cave pour les objets personnels ; elle n'est pas bonne.

31

Dernier jour de campement. La « gondola » a vidé le vieux campement et les hommes de garde ont été retirés. Antonio, Nato, Camba et Arturo sont restés ; les instructions sont : établir le contact au maximum tous les trois jours ; tant qu'ils sont 4, deux devront être armés ; la garde ne devra pas avoir un seul moment d'inattention ; les nouveaux arrivés seront instruits selon les règles générales, mais ils ne doivent connaître que l'indispensable ; le campement sera nettoyé de tous les effets personnels et les armes seront cachées dans les bois enveloppés dans une bâche ; la réserve d'argent restera constamment dans le campement, sur le corps de quelqu'un ; on explorera les chemins déjà faits et les torrents environnants. En cas de retraite précipitée, 2 iront à la cave d'Arturo, Antonio et lui-même ; Nato et el Camba se retireront par le torrent et l'un des deux courra déposer la nouvelle dans un endroit qu'on choisira demain. S'il y a plus de 4 hommes, un groupe prendra soin de la cave de réserve.

J'ai parlé à la troupe et lui ai donné les dernières instructions sur la marche. J'ai aussi adressé les dernières instructions à Coco (D VII).

ANALYSE DU MOIS

Comme je m'y attendais, l'attitude de Monje a été d'abord l'échappatoire, ensuite la trahison.

Le parti prépare des armes contre nous et je ne sais pas jusqu'où ça ira, mais cela ne nous freinera pas et il se peut même qu'à la longue, cela nous serve (j'en suis presque sûr). Les plus honnêtes et les plus combatifs seront avec nous, même s'ils passent par des crises de conscience plus ou moins graves.

Jusqu'à maintenant Guevara a bien réagi. On verra comment lui et ses gens se comporteront à l'avenir.

Tania est partie mais les Argentins n'ont pas donné signe de vie, ni elle non plus. Maintenant commence l'étape proprement guérillera, et nous allons éprouver la troupe ; le temps dira ce qu'elle donne et quelles sont les perspectives de la révolution bolivienne.

De toutes les choses prévues, la plus longue a été l'incorporation de combattants boliviens.

Février 1967

1er

La première étape a été réalisée. Les gens sont arrivés un peu fatigués, mais dans l'ensemble ça s'est bien passé. Antonio et Nato sont montés convenir du signe de reconnaissance et ont hissé mon sac à dos et celui de Moro qui est convalescent d'une crise de paludisme.

On a établi un système d'alarme dans une bouteille sous un arbre près du chemin.

A l'arrière-garde, Joaquín a rechigné contre le poids de son sac et retardé tout le groupe.

2

Jour pénible et lent. Le Médecin retardait un peu la marche mais le rythme général est lent. A 4 heures nous arrivons au dernier point d'eau et nous campons. L'avant-garde a reçu l'ordre d'aller jusqu'à la rivière (présumée être le Frías) mais elle n'a pas non plus un bon rythme. Il a plu toute la nuit.

3

Il a plu dès le lever du jour, aussi avons-nous retardé notre départ jusqu'à 8 heures. Comme nous commencions à marcher, Aniceto est arrivé avec la corde pour nous aider dans les passages difficiles, et un peu après il s'est remis à pleuvoir. Nous sommes arrivés au torrent à 10 heures,

trempés ; on a décidé de ne pas continuer pour aujourd'hui. Le torrent ne peut pas être le Frías ; il n'est tout simplement pas sur la carte.
Demain l'avant-garde partira avec Pacho à la pointe et nous entrerons en contact toutes les heures.

4

Nous avons marché depuis le matin jusqu'à 4 heures de l'après-midi, avec un arrêt de 2 heures pour prendre une soupe à midi. Le chemin longe le Nacahuasu ; relativement bon mais fatal pour les chaussures, plusieurs camarades sont déjà presque nus pieds.
La troupe est fatiguée mais tous ont assez bien réagi. J'ai perdu presque 15 livres et je peux marcher avec aisance bien que le mal au dos se fasse parfois insupportable.
On n'a pas trouvé de signes récents de passage le long de la rivière, mais nous allons certainement trouver des zones habitées d'un moment à l'autre, d'après la carte.

5

Dans la matinée, après 5 heures de marche (12-14 km), alors qu'on ne s'y attendait plus, l'avant-garde nous a annoncé qu'elle avait rencontré des animaux (une jument et son poulain). Nous nous sommes arrêtés et nous avons ordonné une reconnaissance des lieux pour éviter un endroit qui pourrait être habité. La discussion était de savoir si nous étions sur Iripiti ou au confluent du Saladillo, indiqué sur la carte. Pacho est revenu en annonçant qu'il y avait une grande rivière, beaucoup plus grande que le Nacahuasu et qu'on ne pouvait pas la traverser. Nous nous y sommes transportés et nous nous sommes trouvés devant le véritable Rio Grande, et qui plus est, en crue. Il y a des signes de vie, mais déjà anciens et les chemins qui ont été suivis se perdent dans des herbages où il n'y a pas de signe de passage.
Nous avons campé dans un mauvais endroit, près du Nacahuasu, pour profiter de son eau et demain nous explorerons les deux côtés de la rivière (est et ouest) pour connaître les parages, et un autre groupe essaiera de la traverser.

6

Jour calme et de récupération de forces. Joaquin, avec Walter et le Médecin, ont été explorer le Río Grande en suivant son lit ; ils ont marché 8 km sans rencontrer de gué, seulement un torrent dont l'eau est salée. Marcos avance mal à contre-courant, il n'est pas arrivé au Frías ;

Aniceto et Loro l'accompagnaient ; Alejandro, Inti et Pacho ont essayé de traverser la rivière à la nage sans y parvenir. Nous, nous nous sommes transportés 1 km en arrière à la recherche d'un endroit mieux situé. Pombo est un peu malade.

Demain nous commencerons un radeau pour essayer de traverser.

7

On a fait un radeau sous la direction de Marcos ; il est très grand et peu maniable. A 1 h 30 nous avons commencé à nous transporter vers le lieu de la traversée et à 2 h 30, celle-ci a commencé. L'avant-garde a traversé en deux voyages et au troisième, on a passé la moitié des gens du centre et mes vêtements, mais pas mon sac à dos ; quand ils ont retraversé pour venir passer ce qui restait du groupe du centre, el Rubio a mal calculé son coup et le radeau a été emporté très en aval et on n'a pas pu le récupérer. Il s'est défait et Joaquín en a refait un autre qui a été prêt à 9 heures du soir, mais on n'a pas eu besoin de traverser de nuit car il n'a pas plu et la rivière a continué à baisser. Du centre, il restait Tuma, Urbano, Inti, Alejandro et moi. Tuma et moi avons dormi à même le sol.

10

Je suis allé parler avec les paysans, en me faisant passer pour l'aide d'Inti. Je ne pense pas que la comédie ait été très efficace, en raison de la timidité de ce dernier.

Le paysan correspond au moule : susceptible de nous aider, mais incapable de prévoir les dangers que cela entraîne, et de ce fait, potentiellement dangereux. Il a donné un tas de renseignements sur les paysans mais on n'a pas pu avoir de précisions en raison d'une certaine méfiance.

Le médecin a soigné les enfants, l'un plein de vers, l'autre ayant reçu un coup de pied d'une jument et nous avons pris congé.

Nous avons consacré l'après-midi et la soirée à préparer une huminta[1] (elle n'était pas bonne). Dans la soirée j'ai fait quelques observations à tous les camarades réunis, sur les 10 jours à venir. En principe, j'ai l'intention de marcher encore 10 jours vers le Masicuri et de faire en sorte que tous les camarades voient physiquement les soldats, ensuite, nous essaierons de passer par le Frías pour explorer un autre chemin.

(Le paysan s'appelle Rojas).

1. Petit pain cuit au four, préparé avec de la farine de maïs tendre. (N.d.Ed.).

11

Anniversaire du vieux ; 67.

Nous avons suivi un chemin nettement tracé au bord de la rivière, jusqu'à ce qu'il devienne peu praticable ; par moments, il se perdait, ce qui prouve que personne n'y était passé depuis longtemps. A midi nous sommes arrivés à un endroit où il s'arrêtait totalement sur une grande rivière. Aussitôt la question s'est posée à nous de savoir si c'était ou si ce n'était pas le Masicuri. Nous avons fait halte près d'un torrent pendant que Marcos et Miguel partaient en reconnaissance en amont et Inti avec Carlos et Pedro en aval de la rivière pour essayer d'en trouver l'embouchure. C'est ainsi qu'il nous a été confirmé qu'il s'agissait bien du Masicuri dont le premier gué a l'air d'être un peu plus bas et où il ont vu de loin quelques paysans qui chargeaient des chevaux. Ils ont probablement vu nos traces. Il faudra désormais prendre d'extrêmes précautions. Nous nous trouvons à une ou deux lieues d'Arenales, d'après le paysan.

h = 760

12

Les deux kilomètres faits hier par l'avant-garde ont été vite parcourus. A partir de ce moment-là, l'ouverture du chemin s'est faite très lentement. A 4 heures de l'après-midi, nous sommes tombés sur une vraie route qui avait l'air d'être celle que nous cherchions. En face, de l'autre côté de la rivière, il restait une maison mais nous avons décidé de la rejeter et d'en chercher une autre, de ce côté-ci de la rivière, celle de Montaño, que Rojas nous avait recommandé. Inti et Loro y sont allés mais ils n'ont trouvé personne bien que tout indiquât que c'était celle dont il s'agissait.

A 7 h 30 nous sommes partis faire une marche nocturne qui a servi à nous montrer tout ce qu'il nous reste à apprendre. A 10 heures environ, Inti et el Loro sont retournés à la maison et n'en ont pas ramené de très bonnes nouvelles : l'homme était ivre et pas très accueillant ; il n'avait que du maïs. Il s'était enivré chez Caballero, de l'autre côté de la rivière, dont le gué passe par là. Nous avons décidé de rester dormir dans un petit bois voisin. J'étais terriblement fatigué car les humintas ne m'avaient pas réussi et j'étais resté toute une journée sans manger.

13

Au petit matin, une forte pluie a éclaté et elle a duré toute la matinée, faisant monter la rivière. Les nouvelles ont été meilleures : Montaño, c'est le fils du propriétaire de la maison, a environ 16 ans. Son père n'est pas là et il ne reviendra pas avant une semaine. Il a donné pas mal de renseignements précis sur le bas du village, qui est à une lieue d'ici. Il y a un petit bout de chemin qui va vers la gauche, mais il est petit. Dans ce coin là n'habite qu'un frère de Perez, un petit paysan dont la fille est fiancée à un membre de l'armée.

Nous nous sommes transportés vers un nouveau campement, à côté du torrent et d'un champ de maïs. Marcos et Miguel ont poussé une pointe vers la route.

h = 650 (temps orageux).

14

Jour calme, passé au campement. Le garçon de la maison est venu 3 fois, dont une pour nous informer que des gens avaient traversé de l'autre côté de la rivière pour venir chercher quelques cochons, mais il n'en a pas dit plus. On lui a payé un peu plus pour le dam causé au champ de maïs.

Toute la journée, les macheteros ont débroussaillé sans rencontrer la moindre maison ; d'après leurs calculs, ils ont dû préparer quelques 6 kilomètres, la moitié de la route de demain.

On déchiffre un long message de la Havane dont l'essentiel est la nouvelle de l'entretien avec Kolle. Celui-ci a dit, là-bas, qu'on ne l'avait pas informé de l'ampleur continentale de la tâche, que dans ce cas, ils sont prêts à collaborer dans des conditions dont ils veulent discuter avec moi ; que Kolle lui-même, Simón Rodriguez et Ramirez allaient venir. On me fait savoir, en outre, que Simón a manifesté son désir de nous aider, indépendamment de ce que déciderait le parti.

Ils nous font savoir aussi que le Français, voyageant avec son passeport, arrive le 23 à la Paz et qu'il descendra chez Pareja ou chez Rhea. Il manque un petit bout indéchiffrable pour l'instant.

On va voir comment affronter cette nouvelle offensive conciliatrice. Autres nouvelles : Merci est arrivé sans l'argent, prétendant avoir été volé ; on soupçonne un détournement bien qu'on n'exclue pas quelque chose de plus grave. Lechin va demander argent et entraînement.

15

Anniversaire d'Hildita (11)

Jour de marche tranquille. A 10 heures du matin nous avions atteint l'endroit jusqu'où avaient été les débrousailleurs. Ensuite, tout le chemin s'est fait en marchant entement. A 5 heures de l'après-midi ils nous ont annoncé u'ils avaient aperçu des champs semés, ce qui s'est confirmé six heures. Nous avons envoyé Inti, Loro et Aniceto parler vec le paysan ; il s'avère que c'est Michel Pérez, frère de Vicolás, un paysan riche, mais lui est pauvre et exploité par son frère, de sorte qu'il est prêt à collaborer avec ious. Nous n'avons pas dîné, en raison de l'heure tardive.

16

Nous avons marché encore pendant quelques mètres pour ious mettre à l'abri de la curiosité du frère et nous avons campé sur une hauteur qui donne sur la rivière qui se rouve à 50 mètres au-dessous. La position est bonne pour ce qui est d'être à l'abri des surprises, mais pas très commode. On a commencé à préparer une bonne quantité le nourriture pour la traversée de la sierra jusqu'au Rosita.

Dans l'après-midi, une pluie violente et opiniâtre qui n'a pas cessé de la nuit a gêné nos plans, mais elle a fait mon-er la rivière et nous voilà à nouveau isolés. On va prêter 000 $ au paysan pour qu'il puisse acheter et engraisser les cochons ; il a des ambitions capitalistes.

17

Il a continué à pleuvoir toute la matinée ; 18 heures de pluie. Tout est mouillé et la rivière a beaucoup monté. J'ai envoyé Marcos, avec Miguel et Braulio chercher un chemin pour aller vers le Rosita. Il est revenu dans l'après-midi après avoir fait 4 km de route. Il nous a dit qu'il a vu une colline pelée semblable à celle que nous appelions la Pampa del Tigre.

Inti se sent malade, il a dû trop manger.

h = 720 (conditions atmosphériques anormales).

18

Anniversaire de Josefina (33)

Echec partiel. Nous avons marché lentement en suivant le rythme des macheteros, mais à 2 heures ceux-ci étaient arrivés en terrain plat où il n'y a pas besóin de machete ; nous, nous avons un peu tardé et à 5 heures nous sommes arrivés à un point d'eau où nous avons campé, avec l'espoir de traverser le terre-plein. Dans la matinée, Marcos et Tuma ont été reconnaître les lieux et ils sont revenus avec de très mauvaises nouvelles : toute la colline est coupée de parois à pic et impossibles à descendre. Il ne reste pas d'autre solution que de revenir sur nos pas.

h = 980 m.

19

Journée perdue. Nous avons descendu la colline jusqu'à ce que nous trouvions le torrent avec l'intention de monter par là, mais cela a été impossible. J'ai envoyé Miguel et Aniceto pour qu'ils montent par le nouveau contrefort et essaient de passer de l'autre côté, sans résultat. Nous avons passé la journée à les attendre et ils sont revenus en annonçant que c'étaient des pans de rochers de même genre ; infranchissables.

Demain nous allons essayer de monter par la dernière colline après le torrent qui donne sur l'ouest (les autres donnaient sur le sud et là la colline se brise).

h = 760 m.

20

Jour de marche lente, mais accidentée ; Miguel et Braulio sont partis par l'ancien chemin pour arriver au petit torrent du champ de maïs ; et là, ils ont perdu leur route et ils sont arrivés au torrent à la tombée de la nuit. En arrivant au torrent suivant, j'ai envoyé Rolando et Pombo faire une reconnaissance jusqu'à ce qu'ils trouvent l'à-pic mais ils ne sont revenus qu'à 3 heures, aussi avons-nous continué par le chemin que Marcos était en train de tracer en laissant Pedro et El Rubio pour les attendre. Nous sommes arrivés au torrent du champ de maïs à 4 h 30 et nous y avons campé. Les explorateurs ne sont pas revenus.

h = 720 m.

21

Lente marche pour remonter le torrent. Pombo et Rolando sont revenus en annonçant que l'autre torrent permettait le passage ; Marcos l'a exploré aussi et a eu la même impression. Nous sommes partis à 11 h, mais à 13 h 30 nous avons trouvé des trous d'eau très froide qui n'étaient pas guéables. On a envoyé Loro en reconnaissance et il est resté longtemps ; j'ai donc envoyé Braulio et Joaquín attendre l'arrière-garde. Loro est revenu annonçant que le torrent s'élargissait un peu plus bas et devenait plus praticable, aussi a-t-on pris la décision de continuer la route sans attendre les résultats de Joaquín. A 6 h, comme nous nous installions pour camper, il est revenu nous dire. qu'il était possible d'escalader le terre plein et qu'il y avait pas mal de chemins praticables.

Inti est malade ; plein de gaz ; ça fait la deuxième fois en une semaine.

h = 860.

22

Toute la journée a été consacrée à grimper des collines assez difficiles et toutes de maquis. Après une journée épuisante, l'heure de camper nous a surpris ; avant que d'arriver au but, j'ai envoyé Joaquín et Pedro pour qu'ils essaient d'y parvenir seuls et ils sont revenus à 7 h nous annoncer qu'il y en avait encore pour au moins trois heures de débroussaillage.

h = 1 180. Nous sommes aux sources du torrent qui se jette dans le Masicuri, mais vers le sud.

23

Jour noir pour moi ; je l'ai fait les dents serrées car je me sentais très épuisé. Dans la matinée, Marcos, Braulio et Tuma sont partis préparer le chemin tandis que nous les attendions au campement. Nous y avons déchiffré un nouveau message qui annonce l'arrivée du mien à la boîte à lettres française. A midi, nous sommes partis sous un soleil à fendre les pierres, qui m'a causé un peu plus tard une espèce d'évanouissement en arrivant au sommet de la colline la plus haute ; à partir de ce moment-là j'ai marché à force de volonté. La hauteur maxima de la zone est de 1 420 m ; on y domine une vaste région qui embrasse le Río Grande, l'embouchure de Nacahuasu et une partie du Rosita. La topographie est différente des annotations de la carte ; après une ligne de démarcation très nette on descend à pic vers une sorte de meseta boisée de 8 à 10 km de large à l'extrémité de laquelle coule le Rosita ; ensuite se dresse un massif avec des hauteurs semblables à celles de cette chaîne-ci, et au loin on aperçoit la plaine. Nous avons décidé de descendre par un endroit praticable bien que très abrupt, pour prendre le torrent qui conduit au Río Grande et de là au Rosita. Il n'y a pas l'air d'y avoir de maison au bord, contrairement à ce qu'indique la carte. Nous avons campé à 900 m, après un chemin infernal, sans eau et à la tombée de la nuit. Hier matin j'ai entendu Marcos envoyer un camarade au diable, et ce matin il a recommencé avec un autre. Il faut que je lui parle.

24

Anniversaire d'Ernestico (2)

Journée laborieuse et de lassitude. On avance peu, sans eau, car le torrent que nous avons emprunté est sec. A midi on a changé les macheteros qui étaient épuisés ; à 2 h de l'après-midi il pleuvait un peu et on a rempli les gourdes ; un peu plus tard nous avons trouvé un petit point d'eau et à 5 h nous avons campé sur une plate-forme près de l'eau. Marcos et Urbano ont continué la reconnaissance des lieux et Marcos est revenu nous annoncer que la rivière était à deux kilomètres environ, mais que le chemin par le torrent était très mauvais car il se transformait en bourbier.

h = 680 m.

25

Jour noir. On avance peu et, pour comble, Marcos s'est trompé de chemin et on a perdu la matinée ; il était parti avec Miguel et Loro. A midi il nous a fait savoir ça et a demandé qu'on le relève et qu'on le joigne par radio. Braulio, Tuma et Pacho y sont allés. A 2 h, Pacho est revenu en disant que Marcos l'avait envoyé car la communication n'était plus très audible. A 4 h 30 j'ai envoyé Benigno prévenir Marcos que si d'ici 6 h il n'avait pas trouvé la rivière il revienne ; après le départ de Benigno, Pacho m'a appelé pour me dire que Marcos et lui avaient eu une discussion et que Marcos lui avait donné des ordres péremptoires, l'avait menacé de son machete et frappé au visage ; quand Pacho est revenu en lui disant qu'il ne continuait pas à émettre, il l'a menacé à nouveau et l'a malmené au point de lui déchirer ses vêtements.

Devant la gravité de la chose, j'ai appelé Inti et Rolando qui ont confirmé le mauvais climat qui régnait à l'avant-garde à cause du caractère de Marcos mais qui ont démenti certaines des accusations de Pacho.

26

Dans la matinée j'ai eu une explication avec Marcos et Pacho qui m'a convaincu qu'il y avait eu de la part de Marcos injure et mauvais traitement et peut-être la menace du machete, mais pas de coup ; de la part de Pacho, réponses injurieuses et une tendance bravache innée ; il y a eu des précédents ici. J'ai attendu que tout le monde soit réuni et j'ai parlé alors de ce que signifiait l'effort pour arriver au Rosita en expliquant comment ce genre de sacrifice était une introduction à ce que nous aurions à supporter, et en expliquant aussi que, en raison du manque d'adaptation, il se produisait des incidents honteux comme celui qui était survenu entre deux Cubains ; j'ai critiqué Marcos pour son attitude et j'ai prévenu Pacho qu'un autre incident de ce genre provoquerait son retrait déshonorant de la guérilla. Pacho, outre qu'il avait refusé de continuer de transmettre, était revenu sans rien me dire de l'incident et après, il m'a probablement menti au sujet des coups que lui aurait donnés Marcos.

J'ai demandé aux Boliviens de ne pas avoir recours à des moyens détournés s'ils se sentaient hésitants ; de me le dire, et qu'on les retirerait de la guérilla sans histoire. Nous avons continué à marcher, pour essayer d'atteindre le Río Grande et de continuer notre route en le longeant ; nous y sommes parvenus et on a pu le suivre sur un peu plus d'1 km, mais il a fallu remonter car on ne pouvait pas passer le fleuve à cet endroit à cause d'un à-pic. Benjamín était resté en arrière, ayant eu des difficultés avec son sac à dos, et épuisé physiquement ; quand il nous a rejoints, je lui ai donné l'ordre de continuer, ce qu'il a fait ; il a marché 50 m et il a manqué la prise ; il s'est mis à la chercher au-dessus d'une pierre plate ; quand j'ai donné l'ordre à Urbano de lui dire qu'il se trompait, il a fait un mouvement brusque et il est tombé à l'eau. Il ne savait pas nager. Le courant était très fort et il l'a entraîné alors qu'il avait encore pied ; nous avons couru lui porter secours mais au moment où nous enlevions nos vêtements il a disparu dans un trou d'eau. Rolando a nagé jusqu'à lui et a essayé de plonger mais le courant l'a emporté au loin. Au bout de 5 minutes nous avions perdu tout espoir. C'était un garçon faible et absolument malhabile, avec une grande volonté de vaincre ; l'épreuve a été plus forte que lui ; son physique ne l'a pas aidé et nous avons maintenant notre baptême de la mort au bord du Río Grande, et de façon absurde. Nous avons campé sans être parvenus au Rosita, à 5 h de l'après-midi. Nous avons mangé notre dernière ration de haricots.

27

Après une journée de marche pénible le long de la rivière et en grimpant aux rochers, nous sommes arrivés au Rosita. C'est une rivière plus grande que le Nacahuasu et plus petite que le Masicuri ; ses eaux sont rougeâtres. Nous avons mangé nos dernières réserves et il n'y a aucun signe de vie proche, bien que nous nous trouvions près de lieux habités et de routes.
h = 600.

28

Jour de demi-repos. Après le petit-déjeuner (thé) j'ai fait une brève causerie, commenté la mort de Benjamín et raconté quelques anecdotes de la Sierra Maestra. Ensuite on a commencé les reconnaissances ; Miguel, Inti et Loro ont remonté le Rosita avec l'ordre de marcher pendant 3 h 1/2, temps que je jugeais nécessaire pour atteindre la rivière Abaposito, mais il n'en a pas été ainsi faute de chemin ; nous n'avons pas trouvé de signes de vie récents : Joaquín et Pedro ont escaladé les montagnes d'en face mais n'ont rien vu et n'ont trouvé aucun sentier, pas même des restes d'ancien sentier. Alejandro et El Rubio ont traversé la rivière et ils n'ont pas trouvé de chemin, mais leur inspection a été superficielle. Marcos a dirigé la construction du radeau et dès que celui-ci a été terminé on a commencé la traversée à un détour de la rivière où se jette le Rosita. On a passé les sacs de 5 hommes, mais on a passé celui de Miguel et celui de Benigno est resté, alors que Miguel était resté et que Benigno était passé. Comble de malchance, Benigno a perdu ses chaussures.

Le radeau n'a pas pu être récupéré et le second n'était pas fini ; aussi avons-nous remis le passage à demain.

RESUME DU MOIS

Bien que je sois sans nouvelle de ce qui s'est passé au campement, tout marche à peu près bien, avec les exceptions inévitables, fatales en l'occurrence.

A l'extérieur, pas de nouvelles des deux hommes qu'on devait m'envoyer pour compléter la troupe ; le Français doit déjà être à La Paz et d'un jour à l'autre au campement ; je n'ai pas de nouvelles des Argentins ni d'El Chino ; les messages sont bien reçus dans les deux sens ; l'attitude du Parti reste hésitante et double, c'est le moins qu'on en puisse dire, bien qu'il reste à apporter un éclaircissement qui peut être définitif quand je parlerai avec la nouvelle délégation.

La marche s'est assez bien passée, mais elle a été ternie par l'accident qui a coûté la vie à Benjamín ; les hommes sont encore faibles et les Boliviens ne tiendront pas tous le coup. Les derniers jours de faim ont laissé apparaître une diminution de l'enthousiasme d'autant plus évidente que les divisions subsistent. Parmi les Cubains, deux ayant peu d'expérience, Pacho et El Rubio, ne se sont pas encore donnés ; Alejandro, lui, l'a fait pleinement ; parmi les anciens, Marcos donne des soucis continuels et Ricardo ne fournit pas le meilleur de lui-même. Les autres se comportent bien. La prochaine étape sera de combat, et elle sera décisive.

Mars 1967

1er

A 6 heures du matin il s'est mis à pleuvoir. Nous avons remis le passage jusqu'à ce que ça cesse, mais la pluie a redoublé et a continué jusqu'à 3 heures de l'après-midi, heure à laquelle est venue la crue et nous avons considéré qu'il était prudent de ne pas tenter la traversée. Maintenant la rivière a beaucoup grossi et elle n'est pas prête à baisser de si tôt.
Je me suis transporté dans une cabane abandonnée pour fuir la pluie et j'ai fait un nouveau campement là. Joaquín est resté où il était. Dans la soirée on m'a informé que Polo avait pris sa boîte de lait et Eusebio sa boîte de lait et sa boîte de sardines. Comme sanction, ils ne mangeront pas quand il y aura de ces choses-là au menu. Mauvais signe.

2

Il a plu dès le lever du jour et les gens étaient à bout, à commencer par moi. La rivière est encore plus haute. On a décidé d'abandonner le campement à la première éclaircie et de continuer par le chemin parallèle à la rivière, par lequel nous étions venus. Nous sommes partis à midi et nous avons fait une bonne provision de cœurs de corojos. A 4 h 30 nous nous sommes arrêtés car nous avions abandonné notre che-

min avec l'intention d'essayer un vieux sentier qui s'est perdu.
On n'a pas de nouvelles de l'avant-garde.

3

Nous avons commencé dans l'enthousiasme, marchant d'un bon pas, mais nous nous sommes modérés avec les heures et il a fallu rectifier le chemin vers le terre-plein car j'ai eu peur qu'il ne se produise un accident dans la zone où était tombé Benjamín. Il nous a fallu quatre heures pour faire la route que nous avons descendue en moins d'une demie heure. A 6 heures nous sommes arrivés au bord du torrent où nous avons campé, mais comme nous n'avions que deux palmistes, Miguel et Urbano, puis Braulio sont allés en chercher quelques-uns, assez loin. Ils sont revenus à 9 heures du soir. Nous avons mangé vers minuit ; les cœurs de palmier et de corojo (totai en Bolivie) sauvent la situation.

4

Miguel et Urbano sont partis dans la matinée et ont débroussaillé toute la journée, ils sont revenus à 6 heures de l'après-midi ; ils ont fait 5 kilomètres et ont aperçu une plaine qui doit permettre d'avancer, mais il n'y a pas d'endroit où camper, aussi avons-nous décidé de rester ici jusqu'à ce qu'ils aient allongé le chemin. Les chasseurs ont tué deux petits singes, un perroquet et un pigeon qui ont constitué notre repas, accompagnés de palmistes qui sont abondants dans cette région.

Le moral est bas et le physique se détériore de jour en jour ; j'ai un début d'œdème des jambes.

5

Joaquín et Braulio sont allés débroussailler sous la pluie mais ils sont tous les deux mous et ils n'avancent guère. On a récolté 12 palmistes et chassé quelques oiseaux ce qui permet de garder les conserves un jour de plus et de faire une réserve de palmistes pour 2 jours.

6

Jour de marche intermittente jusqu'à 5 heures de l'après-midi. C'est Miguel, Urbano et Tuma qui sont les macheteros. On a un peu avancé et on aperçoit au loin quelques hauteurs qui ont l'air d'être celles du Nacahuasu. On n'a chassé qu'un petit perroquet qu'on a donné à l'arrière-garde. Aujourd'hui nous avons mangé des palmistes avec de la viande. Il nous reste 3 repas très maigres.

7

4 mois. Les gens sont de plus en plus découragés de voir arriver la fin des provisions et pas du chemin. Aujourd'hui nous avons fait entre 4 et 5 kilomètres au bord de la rivière et nous sommes tombés à la fin sur un chemin prometteur. Le repas : 3 petits oiseaux et demi et le reste de palmistes ; à partir de demain, conserves sans rien de plus, un tiers par tête, pendant deux jours ; après le lait, et fini. Il doit rester deux ou 3 jours de marche jusqu'au Nacahuasu.

8

Peu de chemin aujourd'hui, jour de surprise et de tension. A deux heures du matin nous sommes sortis du campement sans attendre Rolando qui était à la chasse. Nous n'avons marché qu'une heure et demie et nous avons rencontré les macheteros et les chasseurs (Urbano, Miguel, Tuma — le Médecin et Chinchu respectivement). Ils avaient beaucoup de perroquets mais ils avaient trouvé un poste d'eau et ils s'étaient arrêtés. J'ai été voir l'endroit après avoir ordonné un campement et j'ai aperçu une station de pompe à pétrole. Inti et Ricardo se sont jetés à l'eau ; ils devaient faire semblant d'être des chasseurs. Ils s'y sont jetés habillés et sont passés l'un après l'autre, mais Inti a eu des difficultés et a failli se noyer ; Ricardo l'a aidé et finalement ils ont atteint l'autre rive et attiré l'attention de tout le monde. Le signal convenu en cas de danger n'a pas fonctionné et ils ont disparu. Ils avaient commencé à traverser à midi et à 15 h 15 je suis parti sans qu'ils aient donné signe de vie. J'ai attendu tout l'après-midi et ils n'ont pas réapparu. La dernière garde s'est retirée à 21 heures et on n'avait pas fait d'autres signaux.

J'ai été très inquiet, deux courageux camarades étaient exposés et je ne savais pas ce qui s'était passé. On a décidé qu'Alejandro et Rolando, les meilleurs nageurs, traverseraient demain pour aller voir.

Nous avons mieux mangé que les autres jours, malgré le manque de palmistes, en raison de l'abondance de perroquets et de deux singes tués par Rolando.

9

Nous avons entrepris la traversée de bonne heure mais il a fallu faire un radeau ce qui a pris assez longtemps. Les hommes de garde ont annoncé qu'on apercevait des gens à demi-nus, de l'autre côté ; il était 8 h 30 et on a arrêté la traversée. On a fait un bout de chemin qui va de l'autre côté, mais à un endroit non habité d'où l'on nous voit, c'est pourquoi il faut passer au petit matin à la faveur du brouillard de la rivière.

Vers 16 heures, après un guet désespérant qui, en ce qui me concerne, a duré depuis 10 h 30, les pourvoyeurs (Inti et Chinchu) se sont jetés à l'eau et sont arrivés très en aval. Ils ont apporté un porc, du pain, du riz, du sucre, du café et quelques conserves, et du maïs, etc... Nous avons fait une petite orgie de café, de pain et autorisation a été donnée de consommer la boîte de lait condensé transformé en confiture que nous gardions en réserve.

Ils ont expliqué qu'ils étaient sortis toutes les heures pour qu'on les voie, mais en vain en ce qui nous concerne. Marcos et ses hommes étaient passés il y a 3 jours et il semblerait que Marcos ait fait des siennes et montré les armes. Les ingénieurs des gisements ne savent pas très bien combien il y a jusqu'au Nacahuasu, mais ils supposent que ça doit faire 5 jours de route ; les vivres nous suffiront, s'il en est ainsi. La pompe appartient à une station de pompage qui est en train de s'installer.

10

Nous sommes partis à 6 h 30 et nous avons marché 45 minutes jusqu'à ce que nous atteignions les macheteros. A 8 heures il a commencé à pleuvoir et ça a duré jusqu'à 11 heures. Nous avons marché, en fait, 3 heures à peu près et installé le campement à 5 heures. On aperçoit quelques collines qui pourraient bien être le Nacahuasu. Braulio est parti explorer et est revenu nous annoncer qu'il y a un sentier et que la rivière continue tout droit vers l'ouest.

11

La journée a commencé sous de bons auspices. Nous avons marché plus d'une heure par un chemin parfait qui s'est brusquement perdu. Braulio a pris le machete et a continué péniblement pour aboutir à une plage. Nous leur avons laissé le temps, à lui et à Urbano, d'ouvrir un chemin et au moment où nous allions continuer notre route, la crue nous a coupés la voie, ça a été fulgurant, la rivière a monté de près de deux mètres.

Nous sommes restés coupés des macheteros et force nous a été de faire route par les bois. A 13 h 30 nous nous sommes arrêtés et j'ai envoyé Miguel et Tuma avec la recommandation de prendre contact avec l'avant-garde et de leur donner l'ordre de revenir s'ils ne trouvaient pas le Nacahuaso ou un bon endroit. A 18 heures ils sont revenus ; ils avaient fait 3 kilomètres et étaient arrivés à un pan coupé à pic. Il semble que nous soyons prêts mais les dernières journées seront très dures si la rivière ne baisse pas, ce qui semble peu probable. Nous avons fait 4-5 kilomètres.

Un incident désagréable s'est produit parce que l'arrière-garde manque de sucre et on se demande si c'est que leur part a été moindre ou si Braulio a pris des licences. Il faudra en parler avec lui.

12

En 1 heure 10 nous avons parcouru le trajet fait hier. Quand nous sommes arrivés, Miguel et Tuma qui étaient partis d'abord étaient déjà en train de faire une reconnaissance pour essayer de passer un pan de rocher coupé à pic. Cela a duré toute la journée ; notre seule activité a été de chasser quatre petits oiseaux que nous avons mangés pour accompagner le riz aux moules. Il nous reste deux repas.
Miguel est resté de l'autre côté et il semble qu'il ait trouvé un passage vers le Nacahuaso. Nous avons marché pendant 3-4 km.

13

De 6 h 30 à midi nous avons grimpé des pics infernaux en suivant le chemin tracé par Miguel, un travail de cyclope. Nous pensions être déjà arrivés au Nacahuaso mais nous avons rencontré quelques mauvais passages et en 5 heures nous avons assez peu avancé. Nous avons campé sous une averse modérée à 17 heures. Les gens étaient assez fatigués et à nouveau un peu démoralisés. Il reste un seul repas. Nous avons fait environ 6 km mais sans grand profit.

15

Nous avons traversé la rivière mais seulement le centre ; el Rubio et le Médecin pour nous aider. Nous espérions arriver à l'embouchure du Nacahuaso mais nous emmenions avec nous 3 hommes qui ne savent pas nager et nous étions très chargés. Le courant nous a déportés d'un km et le radeau ne pouvait plus traverser, comme nous avions l'intention de le faire. Nous sommes restés tous les 11 de ce côté-ci de la rivière et demain on recommencera avec le Médecin et el Rubio. Nous avons chassé 4 éperviers qui ont fait notre dîner, meilleur que prévu. Tout est mouillé et le temps reste humide. Le moral des gens est bas ; Miguel a les pieds enflés et il y en a plusieurs autres dans ce cas.

16

Nous avons décidé de manger le cheval car l'enflure devenait alarmante. Miguel, Inti, Urbano, Alejandro en présentaient plusieurs symptômes ; moi très affaibli. Nous avons fait une erreur de calcul, nous pensions que Joaquín traverserait mais il n'en a pas été ainsi. Le Médecin et el Rubio ont essayé de traverser pour les aider mais ils ont été rejetés en aval et se sont perdus de vue ; Joaquín a demandé la permission de traverser et je la lui ai donnée mais il les a perdus en dévalant le torrent. J'ai envoyé Pombo et Tuma pour les rattraper mais il ne les a pas trouvés et il est revenu dans la soirée. Après 17 heures ça a été une orgie de cheval. Demain on en verra sans doute les conséquences. Je calcule qu'aujourd'hui Rolando a dû arriver au campement.

On déchiffre complètement le message N° 32 qui annonce l'arrivée d'un Bolivien qui vient s'enrôler et d'un autre chargement de glucantine, un antiparasite (leismania), jusqu'à maintenant nous n'avions pas de ces choses-là.

17

Encore une tragédie avant que d'avoir seulement commencé à se battre. Joaquín est arrivé au milieu de la matinée ; Miguel et Tuma avaient été le chercher avec de bons morceaux de viande. L'odyssée avait été sérieuse, ils n'avaient pas pû maîtriser le radeau et celui-ci a dévalé le Nacahuaso jusqu'à ce qu'il soit pris dans un tourbillon qui l'a renversé plusieurs fois, d'après eux. Le résultat final a été la perte de plusieurs sacs à dos, de presque toutes les balles, de 6 fusils et d'un homme : Carlos. Celui-ci a été pris dans un tourbillon avec Braulio mais n'a pas eu le même sort. Braulio a réussi à atteindre la rive et a vu Carlos qui était emporté sans offrir la moindre résistance. Joaquín était déjà parti avec tous ses hommes, plus en avant et il ne l'a pas vu passer. Jusqu'à maintenant, il était considéré comme le meilleur des Boliviens de l'arrière-garde à cause de son sérieux, de sa discipline et de son enthousiasme.

Les armes perdues sont : une Brno, celle de Braulio, 2M1, Carlos et Pedro ; 3 mausers, Abel, Eusebio et Polo. Joaquín a annoncé qu'il avait vu el Rubio et le Médecin de l'autre côté et qu'il leur avait donné l'ordre de faire un petit radeau et de revenir. A 14 heures ils ont fait leur apparition avec leur compte de péripéties et de peines, nus et avec el Rubio sans chaussures. Le radeau s'est mis en pièces au premier remou. Ils avaient abordé à peu près là où nous l'avions fait nous-mêmes.

Notre départ est fixé à demain de bonne heure et Joaquín partira vers midi. J'espère trouver des nouvelles dès demain au cours de la journée. Le moral des gens de Joaquín a l'air bon.

18

Nous sommes partis de bonne heure laissant Joaquín digérer et finir de préparer son demi-cheval avec ordre de partir quand il aurait repris des forces.

J'ai dû lutter pour qu'on garde une certaine réserve de viande ; contre l'avis des gens qui voulaient se l'envoyer toute entière. Au milieu de la matinée, Ricardo, Inti et Urbano avaient pris du retard et il a fallu les attendre contrairement à ma proposition de se reposer au campement d'où nous étions partis à l'aller. De toutes façons nous marchons mal. A 14 h 30 Urbano s'est amené avec une biche chassée par Ricardo ce qui nous permet une certaine bombance et une réserve de côtes de cheval. A 16 h 30 nous sommes arrivés à l'endroit qui n'aurait dû être qu'une pause et nous y avons dormi. Il y a plusieurs hommes traînards et de mauvaise humeur : Chinchu, Urbano et Alejandro.

19

Le matin, à l'avant, nous avons bien marché et nous nous sommes arrêtés à 11 heures comme convenu, mais Ricardo et Urbano ont à nouveau pris du retard et cette fois, Alejandro aussi. Ils sont arrivés à 13 heures mais avec une biche et Joaquín est arrivé avec eux. Un échange de mots entre Joaquín et el Rubio a provoqué un incident et j'ai dû intervenir en traitant rudement ce dernier sans être sûr qu'il avait tort.

J'ai décidé de continuer en tous cas vers le torrent mais un petit avion survolait la région et cela ne présageait rien de bon ; en outre le manque de nouvelle de la base est inquiétant. Je pensais que la route serait plus longue mais malgré la mollesse des gens nous sommes arrivés à 17 h 30. Nous avons été reçus par le médecin péruvien, Negro, qui est arrivé avec el Chino et le technicien de radio qui nous ont annoncé que Benigno nous attendait avec le dîner et que 2 hommes de Guevara avaient déserté et que la police était tombée sur la ferme. Benigno a expliqué qu'il était parti à notre rencontre avec de la nourriture et qu'il avait croisé Rolando il y a trois jours ; il était ici depuis deux jours, mais n'avait pas osé continuer car l'armée pouvait avancer par la rivière étant donné que le petit avion survolait le coin depuis 3 jours. El Negro avait été témoin de l'attaque de la ferme par 6 hommes. Ni Antonio ni Coco n'étaient là ; celui-ci était parti à Camiri chercher un autre contingent des hommes de Guevara et Antonio est allé le prévenir tout de suite de la désertion. Je reçois un long compte-rendu de Marcos (D VIII) où il explique ses aventures à sa façon ; il est allé à la ferme contre l'expresse interdiction que je lui en avais faite et 2 comptes-rendus d'Antonio expliquant la situation (D IX et D X).

Il y a maintenant à la base le Français, el Chino, ses camarades, el pelado, Tania et Guevara avec la première partie de son groupe. Après avoir mangé un copieux repas de riz aux haricots noirs et de biche, Miguel est parti chercher Joaquín qui n'avait pas réussi à savoir où était Chinchu, à la traîne une fois de plus. Il est revenu avec Ricardo et au petit matin Joaquín a fait son apparition et nous nous sommes tous retrouvés.

20

Nous sommes partis à 10 heures d'un bon pas. Benigno et el Negro nous précédaient avec un message pour Marcos où je lui donnais ordre de se charger de la défense et de laisser les affaires administratives à Antonio. Joaquín est parti après avoir effacé les traces à l'entrée du torrent mais sans se presser. Il a trois hommes nus-pieds. A 13 heures, alors que nous étions en train de faire une longue pause, Pacho s'est présenté avec un message de Marcos. Le compte-rendu complétait celui que m'avait fait d'abord Benigno mais maintenant ça devenait plus compliqué car les soldats s'étaient postés sur le chemin du gars de Valle Grande au nombre de 60 et s'étaient emparés d'un de nos messagers, Salustrio, un des hommes de Guevara. Ils nous ont pris une mule et la jeep a été perdue. On n'avait pas de nouvelles de Loro qui était de garde à la maisonnette. Nous avons décidé d'arriver de toutes manières au campement de l'Ours comme il s'appelle maintenant car on y a tué un de ces animaux. Nous avons envoyé Miguel et Urbano préparer le dîner pour les hommes affamés et nous sommes arrivés à la tombée de la nuit. Au campement il y avait Danton, el Pelao et el Chino en plus de Tania et un groupe de Boliviens utilisés comme « gondola » pour le transport des vivres et pour vider le campement. Rolando avait été envoyé pour organiser le retrait de toutes les affaires, il régnait un climat de déroute. Un peu plus tard est arrivé un médecin bolivien récemment enrôlé avec un message pour Rolando où on lui disait que Marcos et Antonio étaient au point d'eau et qu'il aille les voir. Je lui ai fait dire par le même messager que la guerre se gagnait à coups de feu, qu'ils se retirent immédiatement vers le campement et qu'ils m'y attendent. Tout donne l'impression d'un terrible chaos ; ils ne savent pas quoi faire.

J'ai eu une conversation préliminaire avec el Chino. Il demande 5 000 dollars par mois pendant 10 mois et on lui dit de la Havane d'en discuter avec moi. Il apporte, en outre, un message qu'Arturo n'a pas pu déchiffrer car il est très long. Je lui ai dit qu'en principe j'étais d'accord à condition qu'il prenne le maquis dans les 6 mois. Il pense le faire avec 15 hommes et lui comme chef, dans la région d'Ayacucho. Nous avons convenu en outre qu'il recevrait 5 hommes maintenant et 15 dans un certain temps et qu'on les enverrait avec leurs armes après les avoir entraînés au combat. Il doit m'envoyer 2 postes de transmission de moyenne portée (40 miles) et nous allons travailler à la confection d'un code à notre usage et nous resterons en contact permanent. Il a l'air très emballé.

Il a aussi apporté un tas de renseignements de Rodolfo, déjà anciens. On a appris que Loro est revenu et qu'il a annoncé avoir tué un soldat.

21

J'ai passé la journée à discuter avec el Chino, en précisant quelques points, avec le Français, el Pelao et Tania. Le Français a apporté des nouvelles déjà connues au sujet de Monje, Kolly, Simón Reyes, etc. Il vient pour rester mais je lui ai demandé de retourner organiser un réseau de soutien en France et de passer par Cuba, ce qui correspond à ses désirs car il veut se marier et avoir un enfant de sa compagne. Je dois écrire une lettre à Sartre et à B. Russel pour qu'ils organisent une collecte internationale d'aide au mouvement de libération bolivien. Il doit en outre parler avec un ami qui organisera tout ce qui concerne l'aide : essentiellement argent, médicaments et électronique, c'est-à-dire l'envoi d'un ingénieur électronicien et des équipements correspondants.

El Pelao est naturellement prêt à se mettre sous mes ordres et je lui ai proposé de servir d'agent de liaison, pour l'instant, seulement en ce qui concerne les groupes de Josamy, Gelman et Stamponi et de m'envoyer 5 hommes pour qu'ils commencent à s'entraîner. Il doit saluer María Rosa Oliver et le vieux. On lui donnera 500 pesos à envoyer et 100 pour ses déplacements. S'ils acceptent ils doivent commencer l'action de prospection au nord de l'Argentine et m'envoyer un rapport.

Tania a établi les contacts et les gens sont venus mais selon elle on les a fait voyager en jeep jusqu'ici et ils pensaient rester une journée mais les choses se sont compliquées. Josamy n'a pas pu rester la première fois et la deuxième fois il n'a même pas eu le contact car Tania était ici. Elle parle d'Ivan avec assez de mépris, je ne sais pas ce qu'il y a au fond. On a reçu les comptes de Loyola jusqu'au 9 février (1 500 dollars.) * On a reçu deux comptes rendus d'Iván ; un sans intérêt avec des photos d'un collège militaire et un autre donnant quelques renseignements sans importance non plus. L'essentiel est qu'il ne peut pas déchiffrer les messages codés (D XIII). Un compte rendu d'Antonio (D XII) où il essaye de justifier son attitude. On a écouté la

* Elle fait part de sa rupture avec la direction de la jeunesse.

radio qui annonce un mort pour le démentir, ensuite, ce qui prouve que ce qu'avait dit Loro était vrai

22

A [ ]* nous sommes partis en abandonnant le campement [ ] avec quelque nourriture, mal cachée [ ]. Nous sommes arrivés en bas à midi et avons formé un groupe de 47 hommes, visiteurs tout compris.

Quand Inti est arrivé il m'a exposé tout un tas de fautes commises par Marcos ; j'ai explosé et j'ai dit à Marcos que si c'était vrai il serait expulsé de la guérilla, ce à quoi il a répondu qu'il mourrait fusillé avant.

On avait ordonné une embuscade de 5 hommes en avant de la rivière et une reconnaissance de 3 hommes dirigés par Antonio avec Miguel et Loro. Pacho a été de guêt à la colline pelée qui surplombe la maison d'Argañaraz mais n'a rien observé. Dans la soirée les hommes partis en reconnaissance sont revenus et je leur ai lancé un sévère avertissement. Olo a réagi de façon très émotive et s'est défendu. La réunion a été explosive et intempestive et n'a pas donné de bons résultats. Il n'est pas du tout sûr que les choses se soient passées comme l'a dit Marcos. J'ai envoyé chercher Rolando pour régler définitivement la question du nombre des hommes et de leur répartition, car nous avons été plus de 30 camarades à crever de faim au centre.

23

Journée d'actions guerrières. Pombo voulait organiser une « gondola » jusqu'en haut pour récupérer quelques affaires, mais je m'y suis opposé tant que le remplacement de Marcos n'aura pas été mis au point. A 8 heures passées Coco est arrivé au pas de course nous informer qu'une section de l'armée était tombée dans l'embuscade. Le résultat final a été, pour l'instant, 3 mortiers de 60 mm, 16 mausers, 3Bz, 3 USIS, 1 30, deux radios, des bottes, etc., 7 morts, 14 prisonniers en bon état et 4 blessés, mais nous n'avons pas réussi à leur prendre des vivres. On a saisi le plan des opérations qui consiste à avancer des deux bouts du Nacahuasu pour faire la jonction en un point central. Nous faisons rapidement passer les gens de l'autre côté et j'ai mis Marcos avec presque toute l'avant-garde au bout du chemin de manœuvres tandis que le centre et une partie de l'arrière-garde reste pour la défense, et Braulio tend une embuscade au bout de l'autre chemin de manœuvres. Nous passerons

* Les blancs correspondent à des passages illisibles dans l'original. (N.d.Ed.).

la nuit ainsi pour voir si demain arrivent les fameux rangers. Un major et un capitaine prisonniers ont parlé comme des perroquets.

On a déchiffré le message apporté par el Chino. Il parle du voyage de Debré, de l'envoi de 60 mille, des requêtes d'el Chino et explique pourquoi ils n'écrivent pas à Iván.

J'ai aussi reçu une communication de Sanchez donnant des informations sur les possibilités d'installer Mito dans certains endroits.

24

Le butin complet est le suivant : 16 mausers, 3 mortiers avec 64 obus, 2 Bz, 2 000 balles de mauser, 3 USIS avec deux chargeurs chacune, une 30 avec deux rubans. Il y a 7 morts et 14 prisonniers parmi lesquels 4 blessés. On a envoyé Marcos faire une reconnaissance qui n'a rien donné mais les avions bombardent maintenant notre maison.

J'ai envoyé Inti parler pour une dernière fois avec les prisonniers et les mettre en liberté après leur avoir enlevé tout vêtement qui puisse nous être utile, sauf les deux officiers auxquels on a parlé à part et qui sont partis habillés. On a dit au Major qu'on lui donnait jusqu'au 27 à midi pour enlever leurs morts et on lui a proposé une trêve pour toute la région de Lagunillas s'il restait, mais il a répondu qu'il allait démissionner de l'armée. Le capitaine nous a dit qu'il était revenu à l'armée il y a un an à la demande des gens du parti et qu'il a un frère étudiant à Cuba ; en outre il a donné le nom de deux autres officiers prêts à collaborer avec nous. Lorsque les avions ont commencé à bombarder ils ont été saisis d'une peur magistrale mais deux de nos hommes aussi ; Raul et Walter, ce dernier a été mou pendant l'embuscade.

Marcos a exploré les lieux sans rencontrer personne dans la zone, Nato et Coco ont été avec les poids morts pour une « gondola », mais ils ont dû les renvoyer car ils ne voulaient pas marcher. Il faut les licencier.

25

La journée s'est passée sans rien de neuf. León, Urbano et Arturo ont été envoyés en observation à un endroit qui domine les accès à la rivière, des deux côtés. A midi, Marcos a quitté sa position d'embuscade et tout le monde s'est rassemblé au lieu de l'embuscade principale. A 18 h 30, en présence de presque tout le personnel, j'ai fait une analyse du voyage et de sa signification, j'ai exposé les erreurs de Marcos, je l'ai destitué et j'ai nommé Miguel chef de l'avant-garde. En même temps on a annoncé le licenciement de Paco, Pepe, Chingolo et Eusebio en leur faisant savoir qu'ils ne mangeraient pas s'ils ne travaillaient pas, qu'on leur suspendrait le tabac et qu'on redistribuerait leurs affaires personnelles à d'autres camarades plus nécessiteux. J'ai fait allusion au projet de Kolly de venir discuter qui se manifeste juste au moment de l'expulsion des membres de la jeunesse ici présents. Ce qui est intéressant ce sont les faits, les paroles qui ne correspondent pas aux faits n'ont aucun intérêt, J'ai annoncé la recherche de la vache et la reprise de l'étude.

J'ai parlé avec Pedro et le Médecin à qui j'ai annoncé leur quasi totale qualification de guérilleros et avec Apolinar que j'ai encouragé. J'ai fait des critiques à Walter parce qu'il s'est laissé aller pendant le voyage, pour son attitude au combat et à cause de la peur qu'il a manifestée devant les avions. Il n'a pas bien réagi.

Avec el Chino et el Pelado nous avons précisé certains détails et j'ai fait au Français un long exposé oral de la situation.

Au cours de la réunion on a donné à notre groupe le nom d'Armée de Libération Nationale de Bolivie (et on fera un communiqué au sujet de la rencontre).

26

Inti est parti tôt avec Antonio, Rául et Pedro pour chercher une vache dans la région de Ticucha mais ils ont rencontré des troupes à 3 heures d'ici et ils sont revenus, sans avoir été vus, semble-t-il. Ils nous ont informés que les soldats avaient une garde postée sur une colline pelée, et comme une maison au toit brillant dont ils ont vu sortir quelque 8 hommes. Ils sont dans les environs immédiats de la rivière que nous appelions Yaki. J'ai parlé à Marcos et je l'ai envoyé à l'arrière-garde, je ne crois pas que sa conduite s'améliore beaucoup.

On a fait une petite « gondola » et les gardes habituelles ; de l'observatoire d'Argarañaz on a vu 30 à 40 soldats et un hélicoptère qui s'est posé.

27

Aujourd'hui la nouvelle a explosé et a complètement occupé la radio et a provoqué une multitude de communiqués et même une conférence de presse de Barrientos. Le comuniqué officiel annonce un mort de plus que nous et les donne comme ayant d'abord été blessés et ensuite fusillés et nous attribue 15 morts et 4 prisonniers dont 2 étrangers, mais on parle aussi d'un étranger qui s'est auto-éliminé et de la composition de la guérilla. Il est évident que les déserteurs ou le prisonnier ont parlé, seulement on ne sait pas au juste ce qu'ils ont dit et comment ils l'ont dit. Tout semble indiquer que Tania a été identifiée ce qui représente deux ans de bon et patient travail perdu. Le départ des visiteurs devient maintenant très difficile. J'ai l'impression que ça n'a pas fait du tout plaisir à Danton quand je le lui ai dit. On verra plus tard.

Benigno, Loro et Julio sont partis chercher le chemin pour Pirirenda, ils doivent rester deux ou trois jours et ils ont reçu l'ordre d'arriver sans être vus à Pirirenda pour faire ensuite une descente à Gutiérrez. L'avion de reconnaissance a lancé quelques parachutes dont la sentinelle a annoncé qu'ils sont tombés dans le terrain de chasse ; on a envoyé Antonio et deux autres se renseigner et essayer de faire des prisonniers, mais il n'y avait rien.

Dans la soirée nous avons tenu une réunion d'état- major au cours de laquelle nous avons établi des plans pour les jours à venir : demain faire une « gondola » à notre petite maison pour rapporter du maïs, ensuite pour faire des achats de vivres à Gutiérrez et enfin une petite attaque de diversion qui peut se faire dans les bois entre Pincal et Lagunilla, contre les voitures qui passent par là.

On a rédigé le communiqué nº 1 qu'on tâchera de faire parvenir aux journalistes de Camiri (D XVII).

28

Les radios continuent à être saturées de nouvelles des guérillas. Nous sommes entourés de 2 000 hommes dans un rayon de 120 km et l'encerclement se resserre, complété par des bombardements au napalm. Nous avons subi 10-15 pertes.

J'ai envoyé Braulio à la tête de 9 hommes essayer de trouver du maïs. Ils sont revenus le soir avec un chapelet de folles nouvelles : 1) Coco qui était parti avant pour nous prévenir a disparu ; 2) à 16 heures ils sont arrivés à la ferme et ont trouvé que la cave avait été visitée mais ils se sont dispersés pour commencer la cueillette du maïs quand sont apparus 7 hommes de la Croix-Rouge, 2 médecins et plusieurs militaires sans arme. On les a faits prisonniers en leur expliquant que la trêve était terminée mais on les a autorisés à continuer leur route ; 3) un camion plein de soldats est arrivé et au lieu de leur dire de tirer on leur a fait dire de se retirer : 4) les soldats, disciplinés, se sont retirés et les nôtres ont accompagné le service sanitaire jusqu'à l'endroit où se trouvent les cadavres en décomposition ; mais les gens n'ont pas pu les charger et ils ont dit qu'ils reviendraient demain les brûler. Les nôtres leur ont confisqué 2 chevaux d'Argarañaz et sont revenus en laissant Antonio, El Rubio et Aniceto là où les chevaux n'ont plus pu suivre ; au moment où on allait chercher Coco, celui-ci a fait son apparition ; il semble qu'il s'était endormi.

Il n'y a pas encore de nouvelles de Benigno.

Le Français a exposé avec trop de véhémence combien il pourrait être utile à l'extérieur.

29

Jour de peu d'action mais extraordinairement mouvementé quant aux nouvelles. L'armée fournit d'amples informations qui, si elles sont vraies, nous sont très utiles. Radio La Havane a annoncé la nouvelle et déclare que le gouvernement soutiendra l'action du Venezuela en présentant le cas de Cuba à l'OEA. Parmi les nouvelles il en est une qui me préoccupe ; celle d'une rencontre dans la gorge de Tiraboy où 2 guérilleros sont morts. C'est par là qu'on passe pour aller à Pirirenda, où Benigno devait faire une reconnaissance ; il devrait être de retour aujourd'hui et il n'est pas revenu. Il avait ordre de ne pas passer par la gorge mais ces derniers jours il est arrivé plusieurs fois qu'on n'exécute pas les ordres que je donne.

Guevara avance lentement dans son travail ; on lui a donné de la dynamite mais ils n'ont pas pu s'en servir de la journée. On a tué un cheval et on a généreusement mangé de la viande, bien que celle-ci doive durer 4 jours ; nous essaierons d'amener l'autre ici, bien que ça paraisse difficile. A en juger par les charognards, ils n'ont pas encore brûlé les cadavres. Dès que la cave sera prête on pourra déménager de ce campement qui devient mal commode et très connu déjà. J'ai fait savoir à Alejandro qu'il resterait ici avec le Médecin et Joaquín (sans doute au campement de l'ours). Rolando est aussi très épuisé.

J'ai parlé avec Urbano et Tuma ; avec ce dernier je ne suis même pas parvenu à me faire comprendre sur l'origine de mes critiques.

30

Tout est redevenu tranquille. Au milieu de la matinée, Benigno et ses camarades sont arrivés. Ils étaient effectivement passés par la gorge de Piraboy mais ils n'avaient rien vu, sauf les traces du passage de deux personnes. Ils sont arrivés là où ils devaient se rendre, bien qu'ils aient été vus par les paysans, et ils sont revenus. Ils précisent qu'il faut quelque 4 heures pour arriver à Pirirenda et que, apparemment, il n'y a pas de danger. L'aviation a mitraillé sans arrêt la petite maison.

J'ai envoyé Antonio avec deux autres pour faire une reconnaissance à la rivière vers en haut et leurs renseignements disent que les soldats restent sans bouger, bien qu'il y ait dans le torrent des traces d'un parcours de reconnaissance. Ils ont creusé des tranchées.

La jument qui manquait est revenue, de sorte que dans

le pire des cas, nous avons de la viande pour 4 jours. Demain on se reposera et après-demain l'avant-garde partira pour les 2 prochaines opérations : occuper Gutiérrez et leur tendre une embuscade sur la route d'Argarañaz à Lagunillas.

31

Pas de nouveauté majeure. Guevara a annoncé que la cave serait terminée demain. Inti et Ricardo ont raconté que les soldats étaient revenus occuper notre petite ferme pour préparer des actions d'artillerie (mortiers), d'aviation, etc. Cela met obstacle à nos projets d'aller à Pirirenda nous ravitailler ; malgré cela j'ai donné l'ordre à Manuel d'avancer avec ses hommes jusqu'à la maisonnette. Si elle est vide, de la prendre et d'envoyer deux hommes me prévenir afin que nous nous mobilisions après-demain, si elle est prise et qu'on ne peut pas l'attaquer par surprise, de revenir et d'examiner la possibilité de se poster des deux côtés de la ferme Argarañaz pour tendre une embuscade à l'armée entre el Pincal et Lagunillas.

La radio continue son baratin et les communiqués succèdent aux informations officieuses de combat. Ils ont déterminé notre position avec une absolue précision entre le Yaki et le Nacahuazu et je crains qu'ils ne fassent quelques mouvements d'encerclement.

J'ai parlé avec Benigno et je lui ai expliqué son erreur de ne pas être venu nous chercher et lui ai exposé la situation de Marcos.

Dans la soirée j'ai parlé avec Loro et Aniceto ; la conversation s'est mal passée ; Loro en est venu à dire que nous étions en décomposition et quand j'ai voulu lui faire préciser, il a dit que cela concernait Marcos et Benigno ; Aniceto s'est à demi solidarisé avec lui, mais après il a avoué à Coco qu'ils avaient été complices dans un vol de boîtes de conserves et il a dit à Inti qu'il n'était pas d'accord avec les propos de Loro sur Benigno et Pombo et au sujet de la « décomposition générale de la guérilla », plus ou moins.

RESUME DU MOIS

Celui-ci a été riche en événements mais le tableau général présente les caractéristiques suivantes : Etape de consolidation et d'épuration pour la guérilla, complètement réalisée ; étape de lent développement avec l'incorporation d'éléments venus de Cuba, qui n'ont pas l'air mal et les hommes de Guevara qui se sont avérés d'un niveau général pauvre (2 déserteurs, 1 prisonnier bavard, 3 poids morts, 2 mous) ; étape de commencement de la lutte caractérisée par un coup précis et spectaculaire, mais jalonnée d'indécisions grossières avant et après les événements (retraite de Marcos, action de Braulio), étape de commencement de la contre-offensive ennemie caractérisée pour l'instant par a) tendance à établir un contrôle destiné à nous isoler. b) battage à l'échelle nationale et internationale, c) inefficacité totale pour l'instant de la mobilisation paysanne.

Evidemment nous sommes obligés de prendre la route plus tôt que nous ne l'avions envisagé et de nous déplacer en laissant un groupe mouillé et avec un lest de 4 délateurs éventuels. La situation n'est pas bonne mais une autre étape de mise à l'épreuve commence pour la guérilla qui lui sera très bienfaisante, une fois dépassée.

Composition : avant-garde : Chef, Miguel ; Benigno, Pacho, Loro, Aniceto, Camba, Coco, Dario, Julio, Pablo, Raúl.

Arrière-garde : Chef : Joaquín, second : Braulio ; Rubio, Marcos, Pedro, le Médecin, Polo, Walter, Victor, (Pepe, Paco, Eusebio, Chingolo).

Centre : Moi, Alejandro, Rolando, Inti, Pombo, Nato, Tuma, Urbano, Moro, Negro, Ricardo, Arturo, Eustaquio, Guevara, Willy, Luis, Antonio, León (Tania, Pelado, Danton, Chino-visiteurs), Serapio (réfugié).

Avril 1967

1er

L'avant-garde était prête à 7 heures, assez en retard. Il manque Camba qui n'est pas revenu de son expédition avec Nato pour cacher les armes dans la cave de l'ours. A 10 heures Tuma est venu de l'observatoire nous annoncer qu'il avait vu 3 ou 4 soldats dans le terrain de chasse. Nous avons occupé les positions et Walter, du guet, nous a avisé qu'il en avait vu 3 avec un mulet ou un âne en train de mettre quelque chose en place ; il m'a montré mais je n'ai rien vu. A 16 heures je me suis retiré jugeant que de toutes façons il n'était pas nécessaire de rester car ils n'attaqueraient pas, mais il me semble que c'était une illusion d'optique de Walter.

J'ai pris la décision de tout évacuer dès demain et que Rolando se chargerait de l'arrière-garde en l'absence de Joaquín. Nato et Camba sont arrivés à 21 heures ayant tout rangé sauf un dîner pour les 6 qui sont restés. Ce sont Joaquín, Alejandro, Moro, Serapio, Eustaquio et Polo. Les trois Cubains en protestant. On a tué une autre jument pour laisser du charqui[1] aux 6. A 23 heures Antonio est venu annoncer qu'il n'y avait rien de nouveau et avec un sac de maïs.

A 4 heures du matin Rolando emmenait avec lui le

1. Viande séchée au soleil. (N.d.Ed.).

convoi gênant des 4 mous (Chingolo, Eusebio, Paco, Pepe). Pepe a demandé qu'on lui donne une arme et a dit qu'il resterait. Camba est allé avec lui.

A 5 heures Coco est arrivé avec un nouveau message disant qu'ils avaient sacrifié une vache et qu'ils nous attendaient. Je lui ai donné comme point de ralliement le torrent qui sort de la montagne, en dessous de la ferme, après demain à midi.

2

L'incroyable quantité de choses accumulées a fait que nous avons passé toute la journée à les ranger dans leurs caves respectives, le transfert était terminé à 17 heures. On a laissé 4 hommes de garde mais la journée a été d'un calme plat, aucun avion n'a survolé la région. Les commentaires de radio disent que « l'encerclement se resserre » et que les guérilleros se préparent à la défense dans les gorges du Nacahuasu ; on annonce que Don Remberto a été arrêté et que c'est lui qui a vendu la ferme à Coco.

Vu l'heure avancée nous avons décidé de ne pas partir aujourd'hui mais à 3 heures du matin et de gagner une journée en allant directement par le Nacahuasu bien que le rendez-vous soit par derrière.

J'ai parlé avec Moro et lui ai expliqué que je ne l'ai pas nommé dans le groupe des meilleurs parce qu'il avait certaines faiblesses question nourriture et une tendance à exaspérer les camarades avec ses railleries. Nous en avons parlé un instant.

3

Le programme a été réalisé sans encombre : nous sommes partis à 3 h 30 et nous avons marché lentement, nous sommes passés au tournant à 6 h 30 et sommes arrivés aux abords de la ferme à 8 h 30. Quand nous sommes passés devant le lieu de l'embuscade, des corps des 7 cadavres il ne restait plus que quelques squelettes parfaitement nettoyés car les charognards avaient rempli leurs fonctions en toute responsabilité. J'ai envoyé deux hommes (Urbano et Nato) prendre contact avec Rolando et dans l'après-midi nous nous sommes transportés vers les gorges de Piraboy où nous avons dormi, repus de vache et de maïs.

J'ai parlé avec Danton et Carlos et leur ai présenté 3 possibilités : continuer avec nous, partir seuls, ou prendre par Gutiérrez et de là essayer de tenter leur chance au mieux ; ils ont choisi la troisième. Demain nous risquerons le coup.

6

Journée de grande tension. A 4 heures nous avons passé le Nacahuasu et nous sommes restés à attendre le jour pour reprendre la marche ; ensuite, Miguel a commencé à reconnaître les lieux mais il a été obligé de revenir deux fois en raison d'erreurs qui nous amenaient très près des soldats. A 8 heures Roland nous a fait savoir qu'une dizaine de soldats se trouvaient en face de la gorge que nous venions de quitter. Nous sommes partis lentement et à 11 heures nous étions hors de danger, sur une hauteur. Rolando arrivait avec la nouvelle qu'il y avait plus de 100 soldats postés dans la gorge.

Dans la soirée, alors que nous n'étions pas encore arrivés au torrent, on a entendu des cris de vachers venant de la rivière. Nous y sommes allés et nous avons pris 4 paysans avec quelques vaches d'Argarañaz. Ils étaient munis d'un sauf-conduit de l'armée pour aller chercher 12 têtes de bétail ; quelques-uns étaient passés au loin et on n'a pas pu les prendre. Nous avons gardé deux vaches pour nous et nous les avons passées de l'autre côté de la rivière jusqu'à notre torrent. Les quatre civils se sont avérés être l'entrepreneur et son fils, un paysan de Chuquisaca et un autre de Camiri qui s'est montré très ouvert et auquel nous avons remis le communiqué et il a promis de le diffuser.

Nous les avons gardés un moment et ensuite nous les avons relâchés en leur demandant de ne rien dire, ce qu'ils ont promis de faire.

Nous avons passé la soirée à manger.

7

Nous nous sommes enfoncés dans le torrent en emmenant la vache survivante qui a été sacrifiée pour faire du charqui. Rolando est resté en embuscade près de la rivière avec ordre de tirer à vue, mais il n'y a rien eu de la journée. Benigno et Camba ont continué par le sentier qui doit nous conduire jusqu'à Pirirenda et nous ont informés qu'ils avaient entendu comme un bruit de moteur de scierie dans un cañon proche de notre torrent.

J'ai envoyé Urbano et Julio avec un message pour Joaquín et ils ne sont pas revenus de la journée.

8

Rien de nouveau aujourd'hui. Benigno est parti et est retourné à son travail sans pouvoir le terminer et il dit que demain non plus, il ne pourra pas. Miguel est allé à la recherche d'un cañon que Benigno a aperçu de la hauteur et n'est pas revenu. Urbano et Julio sont revenus avec Polo. Les soldats ont pris le campement et sont en train de faire des battues dans les collines ; en descendant, ils sont passés par l'ascenseur. Joaquín nous communique cela et nous fait part d'autres problèmes dans le document ci-joint (D XIX).

Nous avions trois vaches avec leurs veaux, mais il y en a une qui s'est échappée et il reste 4 bêtes, nous ferons du charqui avec encore une ou deux, avec le sel qui nous reste.

9

Polo, Luis et Wylly sont partis avec la mission de remettre une note à Joaquín et de l'aider à revenir avec son groupe pour les installer dans un endroit caché, en haut du torrent que Nato et Guevara sont en train de choisir. D'après Nato il y a des endroits pas mal bien qu'un peu près du torrent, à une heure et un peu plus de l'endroit où nous sommes actuellement. Miguel est arrivé ; d'après ce qu'il a pu voir, la piste doit aboutir à Pirirenda et il y a un jour de marche, sac au dos, aussi ai-je ordonné à Benigno d'arrêter ce qu'il était en train de faire et ce pourquoi il a besoin d'encore une journée.

10

Le jour s'est levé sans grand événement tandis que nous nous préparions à quitter le torrent, nettoyé de toute trace et à traverser par la gorge de Miguel jusqu'à Pirirenda-Gutierrez. Au milieu de la matinée est arrivé el Negro, très agité, pour nous prévenir que 15 soldats descendaient la rivière. Inti avait été prévenir Rolando qui se trouvait en embuscade. Il ne restait plus rien à faire que d'attendre et c'est ce qu'on a fait ; j'ai envoyé Tuma pour qu'il se tienne prêt à nous apporter des nouvelles. Les premières nouvelles sont vite arrivées ; et désagréables ; el Rubio, Jesús Suárez Gayol était blessé à mort. Et c'est mort qu'on l'a ramené à notre campement : une balle dans la tête. La chose est arrivée ainsi : L'embuscade était composée de 8 hommes de l'arrière-garde et d'un renfort de 3 hommes de l'avant-garde répartis des deux côtés de la rivière. En apprenant l'arrivée des 15 soldats Inti est passé où se trouvait el Rubio et a constaté qu'il était très mal placé car il était nette-metn visible de la rivière. Les soldats avançaient sans grande précaution, mais en examinant les bords de la rivière à la recherche de sentiers, dans l'un d'eux, ils se sont heurtés à Braulio ou à Pedro avant de tomber dans l'embuscade. Le feu a duré quelques secondes, laissant sur le terrain 1 mort et trois blessés plus 6 prisonniers ; un sous-officier est tombé tout de suite et 4 se sont échappés.

Ils ont trouvé el Rubio agonisant à côté d'un blessé, son Garand s'était enrayé et à côté de lui se trouvait une grenade dégoupillée, mais qui n'avait pas explosé. On n'a pas pu interroger le prisonnier en raison de la gravité de son état, il est mort aussitôt de même que le lieutenant qui les commandait.

De l'interrogatoire des prisonniers il ressort ceci : ces 15 hommes appartenaient à une compagnie qui était celle qui se trouvait en bas de la rivière Nacahuasu, elle avait traversé le cañon, recueilli les ossements et ensuite avait investi le campement. D'après les soldats, ils n'avaient rien trouvé, bien que la radio ait parlé de documents et de photos trouvés là. La compagnie comptait 100 hommes dont 15 sont allés accompagner un groupe de journalistes à notre campement et ceux-ci étaient partis avec la mission de faire une reconnaissance et de revenir à 17 heures. Les forces principales se trouvaient au Pincal ; à Lagunillas, quelque 30 hommes et on suppose que le groupe qui est allé vers Piraboy s'est replié sur Gutierrez. Ils ont raconté l'odyssée de ce groupe perdu dans la montagne et sans eau, qu'il a fallu rattraper ; en calculant que les fugitifs arriveraient tard, j'ai résolu de laisser l'embuscade tendue, Rolando l'avait avancée de quelque 500 mètres mais pouvait maintenant compter sur l'aide de toute l'avant-garde. En première instance j'avais ordonné le repli mais il m'a paru logique de laisser les choses ainsi. A 17 heures est arrivée la nouvelle que l'armée avançait avec de gros effectifs. Il ne restait plus qu'à attendre. J'ai envoyé Pombo pour qu'il me donne une idée claire de la situation. On a entendu des coups de feu isolés pendant un instant et Pombo est revenu en annonçant qu'ils étaient retombés dans l'embuscade : il y a plusieurs morts et un major prisonnier.

Cette fois les choses sont arrivées ainsi : ils ont avancé en se déployant par la rivière, mais sans plus de précautions et la surprise a été complète. Cette fois il y a 7 morts, 5 blessés et un total de 22 prisonniers. Le bilan est le suivant : (total). (On ne peut pas le faire faute de données.)

11

Dans la matinée nous avons commencé à transporter toutes les affaires et nous avons enterré el Rubio dans une petite fosse, à fleur de terre, étant donné le manque de matériel. On a laissé Inti avec l'arrière-garde pour accompagner les prisonniers et les relâcher, et en outre, chercher les armes semées. Le seul résultat de sa recherche a été de faire deux nouveaux prisonniers avec leur Garand respectif. On a donné deux communiqués N° 1 au major avec l'accord qu'il les ferait parvenir aux journalistes. Le total des pertes peut se décomposer ainsi : 10 morts, parmi lesquels 2 lieutenants, 30 prisonniers, un major et quelques sous-officiers, le reste, des soldats ; 6 sont blessés, un au cours du premier combat, les autres au cours du second. Ils sont sous les ordres de la 4e Division mais en tant qu'éléments de divers régiments mélangés ; il y a des Rangers, des parachutistes et des soldats de la région, presque des gosses.

C'est seulement dans l'après-midi que nous avons fini le transport des affaires et trouvé la cave où laisser la charge, mais sans l'installer encore. Pendant la dernière étape, les vaches se sont effrayées et il ne nous reste plus qu'un veau.

De bonne heure, au moment d'arriver au nouveau campement, nous avons rencontré Joaquín et Alejandro qui descendaient avec tous leurs hommes. D'après ce qu'ils disent, il s'avère que les soldats aperçus n'étaient qu'une fantaisie d'Eustaquio et le déplacement jusqu'ici a été un effort inutile.

La radio a fait part d'« un nouveau choc sanglant » et parle de 9 morts dans l'armée et de 4 « identifications » en ce qui nous concerne. Un journaliste chilien a fait une description minutieuse de notre campement et a découvert une de mes photos, sans barbe et avec une pipe. Il faudrait chercher mieux comment il l'a obtenue. Rien ne prouve que la cave supérieure ait été découverte bien que quelques indices permettent de le supposer.

12

A 6 h 30, j'ai réuni tous les combattants moins les 4 partants pour évoquer un peu le souvenir de Rubio et préciser que le premier sang versé a été du sang cubain. J'ai attiré leur attention sur une tendance observée dans l'avant-garde à déprécier les Cubains et qui s'était cristallisée hier quand Camba a déclaré qu'il avait tous les jours un peu moins confiance dans les Cubains, à la suite d'un incident avec Ricardo. J'ai fait un nouvel appel à l'intégration, seule possibilité de développer notre armée, qui augmente son pouvoir de feu et son ardeur au combat, mais ne voit pas augmenter son nombre, bien au contraire, elle le voit diminuer, ces derniers jours.

Après avoir rangé tout le butin dans une cave bien installée par Nato, nous sommes partis à 14 heures, d'un pas lent. Tellement lent que nous avançions à peine et que nous avons dormi près d'un petit point d'eau, en ayant à peine commencé le chemin.

Maintenant le chiffre des morts avoué par l'armée est de 11 ; il semble qu'ils en aient trouvé un autre ou qu'un des blessés soit mort. J'ai commencé un petit cours sur le livre de Debray.

On a déchiffré une partie d'un message qui n'a pas l'air très important.

13

Nous avons divisé le groupe en 2 pour pouvoir avancer plus rapidement ; malgré cela, nous l'avons fait lentement, nous sommes arrivés au campement à 16 heures et les derniers à 18 h 30. Miguel y était arrivé dans la matinée ; les caves n'ont pas été découvertes et rien n'a été touché : tout est intact, les bancs, les cuisines, le four et les semoirs.

Aniceto et Raúl ont été faire une reconnaissance mais ils ne l'ont pas bien faite et demain, il faudra insister en allant jusqu'à la rivière Ikira.

Les nord-américains annoncent que l'envoi de conseillers en Bolivie correspond à un ancien projet et n'a rien à voir avec les guérillas. Peut-être sommes-nous en train d'assister au premier épisode d'un nouveau Vietnam.

14

Jour monotone.

On a ramené quelques choses du refuge des malades ce qui nous fa.t de la nourriture pour cinq jours. De la cave supérieure, on a cherché des boîtes de lait condensé, et nous nous sommes aperçus qu'il en manquait 23, de façon inexplicable, car Moro en a laissé 48 et personne ne semble avoir eu le temps matériel de les retirer. Le lait est un élément de trouble. On a retiré de la cave spéciale un mortier et la mitrailleuse pour renforcer la position jusqu'à l'arrivée de Joaquín.

La manière dont il faut mener l'opération n'est pas très claire mais il me semble que le plus indiqué est que tout le monde sorte et qu'on opère un peu dans la zone de Muyupampa, pour ensuite reculer vers le nord. Si c'était possible, on mettrait Danton et Carlos sur la route de Sucre-Cochabamba, selon les circonstances.

On a rédigé le communiqué N° 2 * pour le peuple bolivien et le rapport N° 4 pour Manila, que le Français devra emporter.

* D.XXI

15

Joaquín est arrivé avec toute l'arrière-garde et on a décidé de partir demain. Il nous a dit que la zone avait été survolée et qu'on avait tiré des coups de canon contre le maquis. La journée s'est passée sans rien de nouveau. On a complété l'armement du groupe en attribuant la mitrailleuse 30 à l'arrière-garde (Marcos) ayant pour aide les partants.

Dans la soirée j'ai adressé des recommandations au sujet du voyage et à propos de la disparition des boîtes de lait, de sérieux avertissements.

On a déchiffré une partie du long message de Cuba, en résumé, Lechin a de mes nouvelles et va rédiger une déclaration de soutien et revenir clandestinement au pays d'ici vingt jours tout au plus.

On a écrit une note à Fidel (N° 4) en l'informant des derniers événements. On la chiffre et elle sera en écriture invisible.

16

L'avant-garde est partie à 6 h 15 et nous, à 7 h 15 et nous avons bien marché jusqu'à la rivière Ikira, mais Tania et Alejandro ont pris du retard. Quand on a pris leur température, Tania avait plus de 39 et Alejandro 38. En plus, le retard nous empêchait d'avancer selon le programme établi. Nous les avons laissés tous les deux avec el Negro et Serapio à un kilomètre au-dessus de l'Ikira et nous avons continué par le hameau dit Bella Vista ou plus précisément par chez 4 paysans qui nous ont vendu des pommes de terre, un cochon et du maïs. Ce sont des paysans pauvres et ils sont effrayés par notre présence ici. Nous avons passé la nuit à cuisiner et à manger et sans bouger en attendant la nuit prochaine pour passer à Tikucha sans nous faire remarquer par notre aspect.

17

Les nouvelles ont changé et avec elles nos décisions ; Ticucha est une perte de temps, d'après les paysans, car il y a une route directe vers Muyupampa (Vaca Guzman) qui est plus courte et dont le tronçon final est carossable ; nous avons décidé de poursuivre la route directement jusqu'à Muyupampa, après bien des hésitations de ma part. J'ai envoyé chercher les 4 retardataires pour qu'ils restent avec Joaquin et j'ai ordonné à ce dernier de faire une manœuvre de diversion dans la zone pour empêcher un mouvement excessif et de nous attendre pendant trois jours, après quoi il doit rester dans la région mais sans combattre de front et attendre jusqu'à ce que nous revenions. Dans la soirée on a appris qu'un des fils d'un paysan avait disparu et qu'il était peut-être allé prévenir mais on a décidé de partir malgré tout pour essayer de sortir le Français et Carlos une fois pour toutes. Moises a rejoint le groupe des retardataires.

car il doit rester en raison de fortes coliques hépatiques.

Voilà le schéma de notre situation :

En revenant par le même chemin, nous nous exposons à nous heurter à l'Armée alertée à Lagunillas ou à quelque colonne venant de Ticucha, mais il faut que nous le fassions pour ne pas être coupès de l'arrière-garde.

Nous sommes partis à 22 heures et avons marché, avec des pauses, jusqu'à 4 h 30 heure à laquelle nous nous sommes arrêtés pour dormir un peu. Nous avons fait à peu près 10 km.

Parmi tous les paysans que nous avons vus, il y a un certain Simón qui se montre très coopératif bien qu'il ait peur et un autre, Vides, qui peut être dangereux ; c'est le « riche » du coin. En outre il faut considérer que le fils de Carlos Rodas a disparu et que ce peut être un mouchard (bien que sous l'influence de Vides qui est le maître de la zone, économiquement).

18

Nous avons marché jusqu'au petit matin, et avons fait un petit somme aux dernières heures de la nuit par un froid considérable. Dans la matinée l'avant-garde a été explorer les lieux et a trouvé une maison de guaranis qui n'ont donné que très peu de renseignements. Notre garde a arrêté un cavalier qui s'est avéré être un des fils de Carlos Rodas (un autre) qui se rendait à Yakunday et nous l'avons fait prisonnier. On a avancé lentement et ce n'est qu'à 3 heures que nous sommes arrivés à Matagal chez A. Padilla, frère pauvre de l'autre, qui habite à une lieue d'ici et chez qui nous sommes entrés. L'homme avait peur et a essayé par tous les moyens de nous faire partir, mais le comble c'est qu'il s'est mis à pleuvoir et nous avons dû nous réfugier chez lui.

19

Nous sommes restés sur place toute la journée et avons arrêté tous les paysans venant dans les deux sens ce qui nous a fait un bel assortiment de prisonniers. A 13 heures, les hommes de garde nous ont amené un cadeau digne des Grecs : un journaliste anglais nommé Roth qui arrivait sur nos traces, conduit par des gosses de Lagunillas. Ses papiers étaient en règle mais il y avait des choses suspectes : le passeport portait la profession d'étudiant barrée et changée pour celle de journaliste (en réalité il se dit photographe) ; il a un visa de Porto-Rico et ensuite il a avoué avoir été professeur d'espagnol pour les élèves du Corps, quand on lui a posé des questions à propos d'une carte de l'organisateur de Buenos Aires. Il a raconté qu'il avait été visiter le campement et qu'on lui avait montré un journal de Braulio où il racontait ses voyages et ses expériences. Toujours la même histoire, l'indiscipline et l'irresponsabilité dirigeant tout. Par des renseignements donnés par les gosses qui avaient servi de guide au journaliste, on a su que notre arrivée ici avait été connue dans la soirée même à Lagunillas grâce à un renseignements que quelqu'un avait apporté. Nous avons fait pression sur le fils de Rodas et celui-ci a avoué que son frère et un peon de Vides y étaient allés pour gagner la récompense qui va de 500 et 1 000 $. Nous lui avons confisqué son cheval par mesure de représaille et nous en avons informé les paysans prisonniers.

Le Français a proposé qu'on demande à l'Anglais, comme preuve de sa bonne foi, qu'il les aide à sortir ; Carlos a accepté de mauvaise grâce, je m'en suis lavé les mains. Nous sommes arrivés à 21 heures [ ] et nous avons poursuivi notre voyage vers Muyupampa où, d'après ce que nous ont dit les paysans, tout est calme. L'Anglais a accepté les conditions que lui a posées Inti y compris un petit rapport que j'ai rédigé et, à 23 h 45 après une poignée de main aux partants, on a commencé la marche pour la prise du village, je suis resté avec Pombo, Tuma et Urbano. Le froid était très intense et nous avons fait une petite flambée. A 1 heure Nato est venu nous informer que le village était en état d'alerte avec 20 soldats de l'armée cantonnés, et des patrouilles d'auto-défense ; une de celles-ci avec deux M-3 et deux revolvers a surpris nos éclaireurs mais elle s'est rendue sans combattre. Ils m'ont demandé des instructions et je leur ai dit de se retirer étant donné l'heure tardive, et j'ai laissé le journaliste anglais, le Français et Carlos prendre la décision qu'ils trouveraient la meilleure pour eux. A 4 heures nous avons entrepris de revenir, sans avoir atteint notre objectif, mais Carlos a décidé de rester et le Français l'a suivi, mais cette fois-ci de mauvaise grâce.

20

Nous sommes arrivés vers 7 heures chez Nemesio Caraballo, que nous avions rencontré dans la soirée et qui nous avait offert un café. Il était parti, laissant la clef sur la porte et quelques domestiques effrayés. Nous avons organisé le repas sur place en achetant aux péons un peu de maïs et du potiron : vers 13 heures est apparue une camionnette avec un drapeau blanc dans laquelle s'amenaient le sous-préfet, le médecin et le curé de Muyupampa, celui-ci Allemand. Inti a parlé avec eux. Ils venaient brandissant la paix, mais une paix de caractère national dont ils s'offraient à être les intermédiaires ; Inti leur a offert la paix pour Muyupampa, sur la base d'une liste de marchandises qu'ils auraient à nous ramener avant 18 h 30 ce qu'ils ne se sont pas engagés à faire car, d'après eux, l'armée était à la charge du village et ils ont demandé d'allonger le délai, jusqu'à 6 heures du matin, ce qui n'a pas été accepté.

Ils ont apporté, en signe de bonne volonté, deux cartouches de cigarettes et la nouvelle que les trois partants avaient été arrêtés à Muyupampa et que deux étaient compromis parce qu'ils avaient de faux papiers. Mauvaise perspective pour Carlos ; Danton devrait bien s'en sortir.

A 17 h 30 sont arrivés 3 AT-6 et ils nous ont offert un petit bombardement sur la maison même où nous étions en train de faire la cuisine. Une bombe est tombée à 15 mètres et a très légèrement blessé Ricardo d'un éclat. Cela a été la réponse de l'Armée. Il faut voir les informations pour arriver à démoraliser complètement les soldats qui, aux dires des envoyés, en ont assez marre.

Nous sommes partis à 22 h 30 avec deux chevaux, celui qu'on a confisqué et celui du journaliste, faisant route vers Tikucha jusqu'à 1 h 30, heure à laquelle nous nous sommes arrêtés pour dormir.

21

Nous avons peu marché jusqu'à la maison de Roso Carrasco qui nous a très bien reçus et nous a vendu tout ce dont nous avions besoin. Dans la soirée nous avons marché jusqu'à l'embranchement avec la route de Muyupampa-Monteagudo, à un endroit appelé Taperillas. L'idée était de rester à un point d'eau et de faire 1 reconnaissance pour situer l'embuscade. Il y avait à cela une raison supplémentaire qui était la nouvelle de la mort de trois mercenaires annoncée par la radio, un Français, un Anglais et un Argentin. Cette incertitude doit être dissipée pour faire un châtiment exemplaire.

Avant de dîner nous passons par chez le vieux Rodas qui était le beau-père de Vargas le mort de Nacahuasu ; nous lui avons donné une explication qui a paru le satisfaire.
L'avant-garde n'a pas bien compris et a continué par la route, réveillant des chiens qui ont aboyé énormément.

22

Dès le matin ont commencé les erreurs ; Rolando, Miguel et Antonio ont été faire une reconnaissance pour tendre une embuscade, après que nous soyions revenus nous enfoncer dans les bois, mais ils ont surpris des gens dans une camionnette YPFB, en train d'examiner nos traces, pendant que le paysan les informait de notre présence nocturne et ils ont décidé de les faire tous prisonniers. Cela a changé nos projets, mais nous avons décidé de tendre l'embuscade dans la journée et de capturer avec leurs marchandises les camions qui passeraient et de tendre une embuscade à l'armée si elle venait.
Un camion a été saisi avec quelques marchandises, beaucoup de bananes et un nombre considérable de paysans, mais ils en ont laissé passer un qui venait observer nos traces et surtout d'autres camionnettes des gisements. Le repas, avec la tentation du pain offert, qui n'arrivait jamais, nous a retardés.
Mon intention était de charger la camionnette des gisements de toutes les victuailles et d'avancer avec l'avant-garde jusqu'à l'embranchement de la route de Tikucha qui se trouvait à 4 km. A la tombée de la nuit, le petit avion a commencé à survoler notre position et les aboiements des chiens des maisons voisines sont devenus plus insistants. A 20 heures nous étions prêts à partir, bien qu'il fût évident que notre présence avait été détectée, quand a commencé un bref combat et après, on a entendu des voix nous intimant l'ordre de nous rendre. Nous étions tous surpris et je n'avais pas la moindre idée de ce qui se passait, heureusement, ce qui nous appartenait et les marchandises étaient dans la camionnette. Les choses se sont organisées sur le champ, il ne manquait que Loro, mais tout portait à croire que pour l'instant il ne lui était rien arrivé car le choc s'était produit avec Ricardo qui avait surpris les guides des soldats quand ils entouraient le terre-plein pour nous encercler ; il se peut que le guide ait été touché. Nous sommes partis avec la camionnette et tous les chevaux disponibles, 6 en tout, et les gens tour à tour à pied et à cheval, pour finalement faire monter tout le monde dans la camionnette et 6 de l'avant-garde à cheval. Nous sommes arrivés à Ticucha à 3 h 30 et au Mesón, propriété du curé, à 6 h 30, avant de nous immobiliser dans un creux.
Le bilan de l'action est négatif ; indiscipline et impré

voyance d'une part, perte (temporaire, je l'espère) d'un homme d'autre part ; de la marchandise que nous avons payée et pas emportée et, enfin, perte d'un paquet de dollars qui sont tombés de la poche de Pombo, tels sont les résultats de cette action. Sans compter que nous avons été surpris et mis en déroute par un groupe qui était nécessairement réduit. Il faut encore beaucoup pour faire de nos hommes une force combattante bien que le moral soit assez élevé.

23

A été déclaré jour de repos et s'est passé sans rien de nouveau. Au milieu de la journée le petit avion (AT-6) a survolé la région ; la garde a été renforcée, mais il n'y a rien eu de neuf. Dans la soirée ont été données les instructions pour demain. Benigno et Aniceto iront chercher Joaquín : 4 jours. Coco et Camba feront une reconnaissance dans le sentier qui va vers le Rio Grande et le prépareront pour le rendre praticable : 4 jours ; nous, nous resterons près du maïs, et attendrons pour voir si l'armée vient, jusqu'à ce que Joaquín nous ait rejoints, celui-ci a reçu l'ordre de revenir avec tout son monde et de laisser seulement là-bas, en cas de maladie, quelqu'un des retardataires.

On ne sait toujours rien de Danton et d'el Pelado ni du journaliste anglais ; la presse est censurée et ils ont déjà annoncé une autre rencontre, avec 3 à 5 prisonniers.

24

Les explorateurs sont partis. Nous nous sommes installés à 1 km plus en amont du torrent, sur un petit terre-plein ; Le regard s'étend jusqu'à la maison du dernier paysan à quelques 500 m avant la ferme du curé (nous avons trouvé de la marihuana dans le champ). Le paysan est revenu et est resté, curieux ; dans l'après-midi, un AT-6 a lancé deux rafales sur la petite maison. Pacho a mystérieusement disparu ; il était malade et était resté en arrière ; Antonio lui a indiqué le chemin et est allé marcher dans la direction par où il devait arriver en 5 heures, mais n'est pas revenu, demain nous irons à sa recherche.

25

Jour noir. A dix heures du matin environ Pombo est revenu de l'observatoire nous aviser que 30 soldats avançaient vers la maisonnette. Antonio est resté à l'observatoire. Pendant que nous nous préparions, ce dernier est arrivé avec la nouvelle que c'étaient 60 hommes qui venaient et que d'autres s'apprêtaient à suivre. Le guet s'avérait inefficace pour ce qui est de remplir son rôle d'annoncer les choses à l'avance. Nous avons décidé de tendre une embuscade improvisée dans le chemin d'accès au campement ; à toute vitesse nous avons choisi un petit raidillon au bord du torrent avec une visibilité à 50 m. Je me suis mis là avec Urbano et Miguel avec le fusil automatique ; le Médecin, Arturo et Raúl occupaient la droite pour empêcher toute tentative de fuite ou de progression de ce côté-là ; Rolando, Pombo, Antonio, Ricardo, Julio, Pablito, Dario, Willi, Luis, León occupaient la position latérale de l'autre côté du torrent pour les attraper complètement de flanc ; Inti restait dans le lit du torrent pour attaquer ceux qui essaieraient de s'y réfugier ; Nato et Eustaquio faisaient le guet avec ordre de se retirer vers l'arrière quand le feu commencerait ; el Chino restait à l'arrière-garde, pour garder le campement. Mes petits effectifs s'étaient diminués de trois hommes, Pacho, perdu, Tuma et Luis partis à sa recherche.

A peu de temps de là est apparue l'avant-garde ennemie qui, à notre grande surprise, était composée de trois pasteurs allemands avec leur guide. Les animaux étaient inquiets, mais il ne semblait pas qu'ils nous aient détectés ; cependant, ils ont continué à avancer et j'ai tiré sur le premier chien et raté mon coup, quand j'allais tirer sur le guide, mon M-2 s'est enrayé. Miguel a tué un autre chien, à ce que j'ai vu, sans pouvoir le confirmer, et personne d'autre n'est plus entré dans l'embuscade. Un feu intermittent a commencé sur le flanc de l'armée. Quand s'est produit un répit, j'ai envoyé Urbano pour qu'il leur donne l'ordre de se retirer, mais la nouvelle est arrivée que Rolando était blessé ; ils l'ont amené après un petit moment, déjà exsangue et il est mort quand on a commencé à lui administrer du plasma. Une balle lui avait sectionné le fémur et avait atteint les artères et les nerfs ; il a perdu tout son sang avant qu'on ait pu rien faire. Nous avons perdu le meilleur homme de la guérilla et naturellement un de ses piliers, mon camarade depuis le temps où, presque enfant, il avait été messager de la colonne 4 jusqu'à l'invasion, et cette nouvelle aventure révolutionnaire ; de sa mort obscure on peut seulement dire, pour un hypothétique avenir qui pourrait se cristalliser « Ton petit cadavre de capitaine courageux a étendu dans l'immensité sa forme métallique ».

Le reste a été une lente opération de retraite en emmenant tout et le cadavre de Rolando (San Luis), Pacho s'est joint à nous plus tard ; il s'était trompé et avait rejoint Coco et le retour lui avait pris toute la nuit. A 3 heures, nous avons enterré le cadavre sous une faible couche de terre. A 16 heures, Benigno et Aniceto arrivaient nous informer qu'ils étaient tombés dans une embuscade (ou plutôt une rencontre) de l'armée, ils avaient perdu leur sac à dos mais revenaient indemnes. Cela est arrivé quand, selon les calculs de Benigno, nous étions presque arrivés au Nacahuasu. Maintenant nous voilà avec les deux issues naturelles bloquées et nous allons devoir faire une escalade, car l'issue vers le Río Grande n'est pas bonne pour deux raisons, d'abord parce que c'est une issue naturelle, et ensuite parce qu'elle nous éloigne de Joaquin dont nous sommes sans nouvelles. Dans la soirée nous sommes arrivés à l'embranchement des deux chemins, celui du Nacahuasu et celui du Río Grande et nous y avons dormi. Nous attendrons là Coco et Camba pour rassembler toute notre petite troupe.

Le bilan des opérations est hautement négatif ; Rolando est mort ; mais il n'y a pas que cela, les pertes que nous avons fait subir à l'armée ne dépassent pas deux hommes et un chien, à tout casser, car la position n'était pas bien étudiée ni préparée et les tireurs ne voyaient pas l'ennemi. Enfin le guet était très mauvais et ne nous a pas permis de nous préparer à temps.

Un hélicoptère est descendu deux fois près de la maison du curé, on ne sait pas si c'est pour venir chercher un blessé ; et l'aviation est venue bombarder nos anciennes positions, ce qui prouve qu'ils n'ont pas du tout avancé.

26

Nous avons fait quelques mètres et j'ai donné l'ordre à Miguel de chercher un endroit où camper pendant qu'on envoyait quelqu'un à la recherche de Coco et de Camba, mais il est revenu à midi avec les deux. D'après eux ils avaient préparé péniblement 4 heures de chemin, chargés, et il y avait des possibilités de tenter une escalade du terreplein. Cependant j'ai envoyé Benigno et Urbano examiner une éventuelle possibilité d'escalade proche du cañon du torrent qui débouche sur le Nachuasu mais ils sont revenus au crépuscule nous annoncer que tout allait très mal. Nous avons décidé de continuer par le sentier ouvert par Coco pour essayer d'en trouver un autre qui débouche sur l'Iquiri.

Nous avons une mascotte : Lolo, un faon. On va voir s'il survit.

27

Les 4 heures de Coco en ont fait 2 1/2. Nous avons cru reconnaître dans un endroit où il y a beaucoup d'orangers aux fruits amers, un point signalé sur la carte comme étant Masico. Urbano et Benigno ont continué à ouvrir le chemin et ont préparé un tronçon pour une heure de plus. Le froid est intense, la nuit.

Les radios boliviennes ont transmis des communiqués de l'armée où l'on annonce la mort d'un guide civil, le dresseur

des chiens, et d'un chien, Rayo. Ils nous attribuent deux morts dont un présumé cubain, surnommé Rubio et un autre bolivien. Il se confirme que Danton est prisonnier près de Camiri ; il est certain que les autres sont vivants et avec lui.
h = 950 m.

28

Nous avons marché lentement jusqu'à 15 heures. A cette heure là le torrent était devenu sec et prenait une autre direction, nous nous y sommes arrêtés. Il était déjà tard pour faire une exploration de sorte que nous sommes revenus près de l'eau pour camper. Il nous reste de la nourriture, juste, pour 4 jours. Demain nous essayerons d'arriver au Nacahuasu par l'Iquiri et il nous faudra ouvrir le passage.

29

Nous avons fait d'autres essais par quelques crevasses que nous avions vues, mais sans aucun succès. Ici du moins nous nous trouvons dans un cañon sans failles. Coco croit avoir vu un cañon transversal qu'il n'a pas exploré ; nous le ferons demain avec toute la troupe. Nous déchiffrons complètement, avec beaucoup de retard, le message N. 35 dont un paragraphe me demandait l'autorisation de faire figurer ma signature sur un appel pour le Vietnam, lancé par Bertrand Russel.

30

Nous avons commencé l'attaque de la colline. Ce que l'on croyait être un cañon meurt dans des parois à pic, mais nous avons trouvé une filière par laquelle monter ; la nuit nous a surpris près du sommet et nous avons dormi là, sans avoir trop froid.
Lolo est mort victime du tempérament violent d'Urbano qui lui a tiré une balle dans la tête.
Radio La Havane a annoncé que des reporters chiliens ont déclaré que les guérillas sont si fortes qu'elles mettent les villes en échec et qu'elles se sont emparé récemment de deux camions militaires pleins de vivres. La revue Siempre a publié une interview de Barrientos qui, entre autres, a admis qu'il y avait des conseillers militaires yankees et que la guérilla est née des conditions sociales de la Bolivie.

RESUME DU MOIS

Les choses se présentent comme à peu près normales, bien que nous ayions à déplorer 2 pertes sévères : Rubio et Rolando ; la mort de ce dernier est un coup dur car je pensais lui laisser le commandement d'un éventuel second front. Nous avons fait quatre nouvelles actions ; toutes ont eu dans l'ensemble des résultats positifs et l'une a été très réussie : l'embuscade dans laquelle est mort El Rubio.

Par ailleurs, l'isolement demeure total ; les maladies ont miné la santé de certains camarades et nous ont obligés à diviser les forces, ce qui nous a ôté beaucoup d'efficacité ; nous n'avons pas encore pu faire le contact avec Joaquin ; la base paysanne ne se développe toujours pas, bien qu'il semble que nous finissions par obtenir la neutralité du plus grand nombre au moyen de la terreur organisée ; le soutien viendra ensuite. Il n'y a pas eu une seule nouvelle recrue, et, en plus des morts, nous avons perdu Loro, disparu après l'engagement de Taperillas.

Parmi les points notés sur la stratégie militaire, on peut souligner : a) jusqu'ici les contrôles n'ont pas pu être efficaces ; ils nous gênent mais nous permettent de nous déplacer car ils ont peu de mobilité et sont faibles ; en outre, après la dernière embuscade contre les chiens et le dresseur, il est à supposer qu'ils prendront garde de ne pas entrer dans les bois ; b) le battage continue, mais cette fois des deux côtés, et après la publication de mon article à La Havane il ne doit pas y avoir de doute sur ma présence ici. Il paraît certain que les nord-américains interviendront durement ici et ils envoient déjà des hélicoptères et, paraît-il, des bérets verts, bien qu'on n'en ait pas vus par ici ; c) l'armée (du moins une compagnie ou deux) a amélioré sa technique : elle nous a surpris à Taperillas et ne s'est pas démoralisée à El Meson ; d) la mobilisation paysanne est inexistante, sauf dans les activités de renseignements qui sont un peu gênantes ; ils ne sont ni très hardis ni très efficaces. Nous pourrons les annuler.

Le statut de Chino a changé et il sera combattant jusqu'à la formation d'un second ou d'un troisième front.

Danton et Carlos ont été victimes de leur précipitation, de leur envie presque désespérée de partir, et de mon manque d'énergie pour les en empêcher ; si bien que les communications sont coupées aussi avec Cuba (Danton) et que le plan d'action en Argentine est perdu (Carlos).

En résumé : un mois où tout s'est résolu normalement, si l'on considère les imprévus inévitables de la guérilla. Le moral est bon chez tous les combattants qui avaient passé l'examen préliminaire de guérillero.

Mai 1967

1er

Nous fêtons cette date en débroussaillant le passage mais en avançant très peu ; nous n'avons pas encore atteint la ligne de partage des eaux.

Almeida a parlé à La Havane, en nous jetant des fleurs à moi et aux célèbres guérillas boliviennes. Le discours a été un peu long mais bon. Il nous reste de la nourriture acceptable pour trois jours ; aujourd'hui Nato a tué un oiseau à la fronde, nous entrons dans l'ère de l'oiseau.

2

Journée de progression lente et de confusion sur la situation géographique. Nous avons marché en fait deux heures, en raison de la difficulté du débroussailliage. J'ai pu repérer d'une hauteur un point proche du Nacahuaso qui indique que nous sommes très au nord, mais il n'y a pas de traces de l'Iquiri. J'ai donné l'ordre à Miguel et à Benigno d'ouvrir la voie toute la journée pour essayer d'arriver à l'Iquiri ou du moins à l'eau, car nous en manquons. Il nous reste de quoi manger pour 5 jours, mais très légèrement.

Radio La Havane poursuit son offensive d'informations sur la Bolivie, avec des nouvelles exagérées.

h = atteint 1 760 m, dormi à 1 730.

3

Après une journée de débroussaillage continu, qui a permis une marche utile d'un peu plus de 2 heures, nous sommes arrivés à un torrent avec assez d'eau, qui a l'air d'aller vers le nord. Demain nous ferons une reconnaissance pour voir si sa direction change, tout en continuant le débroussaillage. Il nous reste de la nourriture pour deux jours seulement, et en petite quantité. Nous sommes à 1 080 mètres d'altitude, à 200 mètres au-dessus du niveau du Nacahuasu. On entend au loin un bruit de moteur sans pouvoir déterminer dans quelle direction.

4

Dans la matinée on a continué l'ouverture du chemin, pendant que Coco et Aniceto inspectaient le torrent. Ils sont revenus vers 13 heures en affirmant que le torrent tournait à l'est et au sud, et que donc c'est peut-être l'Iquiri. J'ai donné l'ordre d'aller chercher les macheteros et de suivre le torrent vers l'aval. Nous sommes partis à 13 h 30 et à 17 heures nous nous sommes arrêtés, certains cette fois que sa direction générale était d'est-nord-est, et que par conséquent ce ne pouvait pas être l'Iquiri, à moins qu'il ait changé de direction. Les macheteros ont fait dire qu'ils n'avaient pas trouvé d'eau et qu'ils continuaient à ne voir que des terrains secs ; on a décidé de continuer de l'avant en pensant aller vers le Río Grande. On n'a chassé qu'un cacaré[1] qui a été partagé entre les macheteros, en raison de sa petite taille ; il nous reste de la nourriture pauvre pour deux jours.

La radio a annoncé l'arrestation de Loro, blessé à la jambe ; jusqu'ici ses déclarations sont bonnes. Tout semble indiquer qu'il n'a pas été blessé dans la maison mais ailleurs, probablement en essayant de s'échapper.

h = 980 m.

5

Nous avons fait 5 heures de marche effective, et 12 à 14 kilomètres ; nous sommes arrivés dans un campement installé par Inti et Benigno. Nous sommes donc dans le torrent du Congrí, qui ne figure pas sur la carte, très au nord de là où nous pensions qu'il se trouvait. Ce qui entraîne plusieurs questions : où est l'Iquiri ? n'est-ce pas dans l'Iquiri que Benigno et Aniceto ont été surpris ? les agresseurs ne seraient-ils pas des hommes de Joaquín ? Dans l'immédiat

1. Petit oiseau qui caquète dès qu'il voit s'approcher des hommes ou des animaux. (N.d.Ed.).

nous pensons nous diriger vers l'Ours, où il doit nous rester de quoi déjeuner pour deux jours, et de là au vieux campement. Nous avons tué aujourd'hui 2 grands oiseaux et un cacaré, ce qui nous permet d'économiser de la nourriture et d'avoir des réserves pour deux jours ; soupes en sachets et viande en boîte. Inti, Coco et le Médecin sont embusqués pour chasser.

On a annoncé que Debray serait jugé par un tribunal militaire à Camiri comme chef présumé ou organisateur de la guérilla ; sa mère arrive demain et on fait pas mal de bruit autour de cette affaire. Aucune nouvelle de Loro.

h = 840 m.

6

Les calculs concernant notre arrivée à l'Ours étaient finalement faux, car la distance jusqu'à la maisonnette du torrent s'est révélée plus longue que prévue et le chemin était bouché : il a donc fallu s'ouvrir un passage. Nous sommes arrivés à la maisonnette à 16 h 30 après avoir franchi des hauteurs de 1 400 m avec des hommes dégoûtés de la marche. Nous avons mangé l'avant-dernier dîner, très maigre ; on n'a pris qu'une perdrix que nous avons donnée au machetero (Benigno) et aux deux hommes qui le suivaient dans l'ordre de marche.

Les nouvelles sont centrées autour de l'affaire Debray.

h = 1 100 m.

7

Nous sommes arrivés de bonne heure au campement de l'Ours où nous attendaient les 8 boîtes de lait, avec lesquelles nous avons fait un déjeuner réconfortant. Nous avons sorti quelques affaires de la cave voisine, entre autre un mauser pour Nato, qui sera notre bazooka, avec 5 grenades anti-chars. Nato va mal, à la suite d'une crise de vomissements. A peine arrivés au campement, Benigno Urbano, León, Aniceto et Pablito sont allés inspecter la petite ferme. Nous avons mangé les dernières soupes et la viande, mais nous avons une provision de graisse qui était dans la cave. Nous avons trouvé des traces de pas et il y a quelques dégâts mineurs qui indiquent que des soldats sont passés par là. A l'aube les explorateurs sont revenus les mains vides : les soldats sont dans la ferme et ont coupé le maïs. (Il y a aujourd'hui 6 mois que la guérilla a commencé officiellement, avec mon arrivée).

h = 880 m.

8

J'ai insisté très tôt pour que les caves soient arrangées et qu'on descende l'autre boîte de graisse pour en remplir des bouteilles, car c'est tout ce qu'il y a à manger. Vers 10 h 30 nous avons entendu des coups de feu isolés dans l'embuscade ; deux soldats sans armes remontaient le Nacahuasu. Pacho a cru que c'était une avant-garde ; il les a blessés à la jambe et leur a eraflé le ventre. Il leur a dit qu'il avait tiré parce qu'ils ne s'étaient pas arrêtés à sa sommation ; eux, naturellement, n'avaient rien entendu. L'embuscade a été mal coordonnée et Pacho ne s'est pas bien comporté : très nerveux. La situation s'est améliorée quand Antonio et quelques autres ont été envoyés sur la droite. Il est ressorti des déclarations des soldats qu'il se trouvent près de l'Iquiri, mais ils mentaient. A midi on en a capturé deux qui descendaient à toute vitesse le Nacahuasu : ils ont déclaré qu'ils se dépêchaient parce qu'ils étaient allés chasser et qu'à leur retour, par l'Iriquiri, ils avaient constaté que la compagnie avait disparu et qu'ils étaient partis à sa recherche ; ils mentaient aussi. En réalité, ils campaient dans le terrain de chasse et couraient chercher des vivres à notre ferme parce que l'hélicoptère ne venait pas les ravitailler. On a confisqué aux deux premiers des paquets de maïs grillé et cru et 4 boîtes de poisson, plus du sucre et du café ; le problème de la nourriture de la journée s'est trouvé ainsi résolu, avec l'aide de la graisse que nous avons mangée en grandes quantités ; certains ont été malades.

Plus tard la garde a signalé des incursions répétées de soldats qui arrivaient au tournant de la rivière et repartaient. La tension était générale quand sont arrivés environ 27 soldats. Ils avaient vu quelque chose d'anormal et le groupe commandé par le sous-lieutenant Loredo s'est avancé : Loredo a ouvert le feu et il est tombé mort sur le champ en même temps que deux recrues. La nuit tombait déjà et les nôtres ont avancé ; ils ont capturé 6 soldats. Les autres se sont retirés.

Bilan : 3 morts et 10 prisonniers, dont deux blessés ; 7 M-1 et 4 mausers, équipement personnel, munitions et quelques vivres que nous avons utilisés avec la graisse pour calmer notre faim. Nous avons dormi sur place.

9

Nous nous sommes levés à 4 heures (je n'ai pas dormi) et nous avons relâché les soldats après avoir parlé avec eux. Nous leur avons pris leurs chaussures et leurs vêtements militaires que nous avons remplacés par d'autres ; quant à ceux qui nous avaient menti, nous les avons fait partir en caleçons. Ils se sont dirigés vers la ferme en portant le blessé. A 6 h 30 nous avons effectué la retraite vers le torrent des singes, par le chemin de la cave où nous avons rangé le butin. Il ne nous reste à manger que de la graisse ; je sentais que je défaillais et j'ai dû dormir 2 heures pour pouvoir continuer à pas lents et incertains ; dans l'ensemble, c'est dans cet état que nous avons marché. Nous avons pris de la soupe à la graisse au premier point d'eau. Les hommes sont faibles et déjà plusieurs ont de l'œdème.

Dans la soirée, l'armée a fait un compte rendu de l'engagement en donnant le compte de ses morts et de ses blessés mais pas de ses prisonniers ; elle annonce de grands combats et de lourdes pertes de notre côté.

10

Nous continuons à avancer lentement. En arrivant au campement où se trouve la tombe d'El Rubio nous avons trouvé en mauvais état du charqui que nous avions laissé et de la graisse ; nous avons tout ramassé ; pas de traces de soldats. Nous avons traversé le Nacaguazu avec précaution et commencé la route vers Pirirenda par une gorge explorée par Miguel mais dont le chemin n'est pas complètement ouvert. Nous nous sommes arrêtés à 17 heures et nous avons mangé le morceau de charqui et la graisse.

h = 800 m.

11

L'avant-garde est partie la première ; je suis resté pour écouter les nouvelles. Peu après, Urbano est venu me dire que Benigno avait tué un pécari et qu'il demandait l'autorisation de faire du feu et de le dépecer ; nous avons décidé de rester pour manger l'animal pendant que Benigno, Urbano et Miguel continuaient à ouvrir le chemin en direction du lac. A 14 heures nous avons repris la marche et nous avons campé à 18 heures. Miguel et les autres ont continué à avancer.

Je dois parler sérieusement avec Benigno et Urbano : le premier a mangé une boîte de conserve le jour du combat et a nié l'avoir fait, et Urbano a mangé une partie du charqui du campement d'El Rubio.

On a annoncé que le colonel Rocha, Chef de la 4me division qui opère dans la région, avait été relevé de ses fonctions.

h = 1 050 m.

12

Nous avons marché lentement. Urbano et Benigno ouvraient la voie. A 15 heures on a aperçu le lac à 5 km environ, et peu après on a trouvé un ancien chemin. Au bout d'une heure nous avons trouvé un immense champ de maïs avec des potirons, mais sans eau. Nous avons préparé du potiron rôti et sauté à la graisse et nous avons égrené du maïs ; nous avons fait aussi du maïs grillé. Ceux qui étaient allés en reconnaissance sont revenus en annonçant qu'ils étaient tombés sur la maison de Chicho, le même que l'autre fois, que le lieutenant Henry Loredo signale dans son journal comme un bon ami ; il n'était pas chez lui mais il y avait 4 peons et une servante que son mari est venue chercher ; nous l'avons retenu. On a préparé un porc avec du riz et une friture d'abats, en plus du potiron. Pombo, Arturo, Willi et Dario sont restés pour garder les sacs. Malheureusement nous n'avons pas trouvé l'eau, en dehors de celle de la maison.

Nous nous sommes retirés à 5 h 30, à pas lents, et presque tout le monde était malade. Le maître de la maison n'était pas arrivé et nous lui avons laissé une note précisant les dommages et ce que nous avions utilisé ; nous avons payé les péons et la servante $ 10 chacun pour leur travail.

h = 950 m.

13

Journée de rots, de pets, de vomissements et de diarrhée ; un véritable concert d'orgue. Nous sommes restés absolument immobiles en essayant d'assimiler le porc. Nous avons deux boîtes d'eau. Je me suis senti très mal jusqu'à ce que je vomisse ; après, ça allait mieux. Le soir nous avons mangé une friture de maïs et du potiron rôti, plus les restes du festin de la veille, du moins ceux qui étaient en état de le faire. Toutes les radios ont annoncé avec insistance qu'un débarquement cubain avait échoué au Venezuela, et le gouvernement de Leoni a donné les noms et les grades des hommes ; je ne les connais pas, mais tout indique que quelque chose s'est mal passé.

14

Nous sommes partis de bonne heure, sans grand courage, pour arriver au lac de Pirirenda par un sentier que Benigno et Camba avaient découvert au cours d'une reconnaissance. Avant de partir j'ai réuni tous les hommes et je leur ai fait des observations sur les problèmes auxquels nous nous heurtions ; essentiellement, celui de la nourriture ; j'ai critiqué Benigno pour avoir mangé une boîte de conserve et n'avoir pas voulu le reconnaître ; Urbano pour avoir mangé du charqui en cachette et Aniceto pour son zèle à collaborer à tout ce qui touche à la nourriture tandis qu'il s'y refuse quand il s'agit d'autre chose. Pendant la réunion nous avons entendu des bruits de camions qui s'approchaient. Dans une cachette voisine nous avons rangé une cinquantaine de potirons et deux quintaux de maïs en grain en cas de besoin.

Alors que nous avions déjà quitté le chemin et que nous étions occupés à cueillir des haricots, des explosions ont retenti près de nous et peu après nous avons vu l'aviation qui nous « bombardait sauvagement », mais à 2 cu 3 km de nos positions. Nous avons continué à escalader une petite hauteur et le lac est apparu, tandis que les soldats continuaient à tirer. Au coucher du soleil nous nous sommes approchés d'une maison que ses habitants avaient abandonnée peu avant, et qui était très bien approvisionnée ; il y avait de l'eau.

Nous avons mangé une délicieuse fricassée de poule avec du riz et nous sommes restés là jusqu'à 4 heures.

15

Rien à signaler.

16

Au début de la marche j'ai été pris d'une très forte colique, avec vomissements et diarrhée. On l'a arrêtée au demerol et j'ai perdu la notion de tout tandis qu'on m'emportait dans un hamac ; quand je me suis réveillé j'étais très soulagé, mais j'avais fait sous moi comme un nourrisson. On m'a prêté un pantalon, mais faute d'eau je pue la merde à une lieue. Nous avons passé toute la journée sur place, moi tout somnolent. Coco et Nato ont reconnu les environs et trouvé un chemin qui va en direction sud-nord. Nous l'avons suivi le soir tant qu'il y a eu de la lune et ensuite nous nous sommes reposés.

On a reçu le message n° 36 qui fait apparaître l'isolement total dans lequel nous nous trouvons.

17

Nous avons poursuivi la marche jusqu'à 13 heures, heure à laquelle nous sommes arrivés dans une scierie qui manifestement avait été abandonnée environ 3 jours plus tôt. Il y avait du sucre, du maïs, de la graisse, de la farine, et de l'eau dans des tonneaux, apportée de loin semble-t-il. Nous sommes restés là pour camper, pendant que des hommes allaient reconnaître les chemins qui partent du campement, ceux qui meurent dans les bois. Raúl présente au genou une ulcération qui lui cause une douleur intense et qui l'empêche de marcher ; on lui a fait une application d'antibiotique fort et demain on lui fera une ponction. Nous avons parcouru environ 15 km.

h = 920 m.

18

Roberto — Juan Martin

Nous avons passé la journée en embuscade au cas où viendraient les ouvriers ou l'armée ; rien de neuf. Miguel est parti avec Pablito et a trouvé l'eau à deux heures environ du campement, par un chemin transversal. On a fait la ponction à Raúl et on lui a retiré 50 cc de liquide purulent ; on lui fait suivre un traitement général anti-infectieux ; il ne peut pratiquement pas faire un pas. J'ai effectué ma première extraction dentaire dans cette guérilla ; la victime propitiatoire est Camba ; tout a bien marché. Nous avons mangé du pain cuit dans un petit four, et le soir un potage épouvantable qui m'a rendu malade comme un chien.

19

L'avant-garde est partie de bonne heure pour prendre positions en embuscade à l'embranchement des chemins ; nous sommes allés ensuite remplacer une partie de l'avant-garde tandis que celle-ci retournait chercher Raúl et l'amenait jusqu'à l'embranchement ; le reste du centre a continué jusqu'au point d'eau y laisser les sacs puis est retourné chercher Raúl qui se remet lentement. Antonio a fait une petite reconnaissance vers l'aval et a trouvé un campement de soldats abandonné ; là aussi il reste des rations sèches. Le Nacahuasu ne doit pas être loin et j'ai calculé que nous devons arriver au-dessous du torrent du Congrí. Il a plu toute la soirée contrairement aux prévisions.

Nous avons des vivres pour dix jours et il y a aux alentours du potiron et du maïs.

h = 780 m.

20

Camilo

Journée sans déplacements. Dans la matinée le centre s'est placé en embuscade et dans l'après-midi l'avant-garde a pris sa place, toujours sous le commandement de Pombo, qui trouve que la position choisie par Miguel est mauvaise. Ce dernier a inspecté l'aval du torrent et a trouvé le Nacahuasu à 2 heures de marche sans sac au dos. On a entendu nettement un coup de feu tiré par on ne sait qui ; sur les rives du Nacahuasu il y a les traces d'un autre campement militaire qui a dû être de deux pelotons. Incident avec Luis qui a fait le râleur ; à titre de sanction je lui ai interdit d'aller à l'embuscade ; il a bien réagi, semble-t-il.

Dans une conférence de presse Barrientos a refusé d'admettre la qualité de journaliste de Debray et a annoncé qu'il demanderait au Congrès de rétablir la peine de mort. Presque tous les journalistes et tous les étrangers l'ont questionné à propos de Debray ; il s'est défendu avec des arguments d'une pauvreté incroyable. C'est le plus incapable qu'on puisse imaginer.

21

Dimanche. Pas de déplacements. Nous avons repris l'embuscade à midi, par tours de 10 hommes. L'état de Raúl s'améliore lentement ; on lui a fait une seconde ponction et on lui a extrait environ 40 cc de liquide purulent. Il n'a plus de fièvre mais il a mal et ne peut presque pas marcher ; c'est mon souci actuellement. Le soir nous avons fait un dîner somptueux : potage, farine, charqui haché et potiron arrosé de mote[2].

22

Comme il fallait s'y attendre, le responsable de la scierie, Guzman Robles, a fait son apparition à midi avec son chauffeur et un fils dans une jeep déglinguée. Au début il avait l'air d'être venu en éclaireur pour l'armée, pour voir ce qui se passait ; mais il s'est confié peu à peu et il a consenti à partir le soir à Gutiérrez en laissant son fils en otage ; il doit revenir demain. L'avant-garde restera en embuscade toute la nuit, et demain nous attendrons jusqu'à 15 heures. Il faudra ensuite nous retirer car la situation pourrait devenir dangereuse. Tout porte à croire que l'homme ne nous trahira pas, mais nous ne savons pas s'il sera capable de faire les achats sans éveiller les soupçons. Nous lui avons payé tout ce que nous avons utilisé sur son terrain. Il nous a renseigné sur la situation à Tatarenda, Limon et Ipita : il n'y a pas de soldats, sauf à Ipita où il y a un lieutenant. C'est par ouï dire qu'il a appris ce qu'il nous dit de Tatarenda, car il n'y est pas allé.

23

Jour de tension. Le responsable de la scierie ne s'est pas montré de toute la journée, et bien qu'il n'y ait eu aucune activité nous avons décidé de nous retirer dans la soirée avec l'otage, un gamin de 17 ans. Nous avons marché une heure sur le sentier, à la lueur de la lune, et nous avons dormi en route. Nous sommes partis avec une charge de vivres pour une dizaine de jours.

24

En deux heures nous sommes arrivés au Nacahuasu qui était désert. Vers 4 heures nous sommes partis vers l'aval du torrent du Congrí. Nous avons marché lentement, entravés par le pas lent et sans entrain de Ricardo et, aujourd'hui, de Moro aussi. Nous sommes arrivés au campement que nous

2. Maïs sec bouilli sans sel. (N.d.Ed.).

avons utilisé le premier jour de marche à notre premier voyage. Nous n'avons pas laissé de traces et nous n'en avons pas vu de récentes. La radio a annoncé que la demande d'Habeas corpus à propos de Debray serait rejetée. J'ai calculé que nous nous trouvons à une ou deux heures du Saladillo ; en arrivant au sommet nous déciderons ce qu'il faudra faire.

25

Nous sommes arrivés au Saladillo en une heure et demie sans laisser de traces. Nous avons marché environ deux heures vers l'amont, jusqu'à la source. C'est là que nous avons mangé et nous avons repris la montée à 15 h 30 ; nous avons marché encore près de deux heures ; à 18 heures nous avons campé à 1 100 m., sans avoir encore atteint le sommet. D'après le gamin il nous reste deux lieues environ jusqu'au chaco[3] du grand-père et, d'après Benigno, un jour entier de marche jusqu'à la maison de Vargas, sur le Río Grande. Nous déciderons demain.

26

Au bout de deux heures de marche et après avoir franchi le sommet à 1 200 m nous sommes arrivés au chaco du grand-oncle du gamin. Deux péons y travaillaient, que nous avons dû appréhender car ils marchaient vers nous ; c'étaient des beaux-frères du vieux, qui est marié à une de leurs sœurs. Ages : 16 et 20 ans. Ils nous ont appris que le père du gamin avait été arrêté et avait tout avoué. Il y a 30 soldats à Ipita et ils patrouillent dans le coin. Nous avons mangé un porc frit et du potiron à la braise avec de la graisse ; il n'y avait pas d'eau dans la zone et on l'apporte d'Ipita en tonneaux. Nous sommes partis le soir en direction du chaco des deux frères, à 8 km : 4 vers Ipita et 4 vers l'ouest. Nous sommes arrivés à l'aube.
h = 1 100 m.

27

Jour de paresse et, un peu, de désespoir. De toutes les merveilles promises, il n'y avait qu'un peu de vieille canne et le pressoir était inutile. Comme il fallait s'y attendre, le vieux propriétaire du chaco est venu à midi avec sa charrette et de l'eau pour les cochons. Il a vu quelque chose de bizarre en repartant, là où était embusquée l'arrière-garde ; celle-ci l'a fait prisonnier avec un peon. Ils sont restés prisonniers jusqu'à 18 heures et à ce moment-là nous les avons

3. Terrain de cultures de subsistance. (N.d.Ed.).

relâchés avec le plus jeune des deux frères, en leur recommandant de rester dans les parages jusqu'au lundi et de ne pas faire de commentaires. Nous avons marché deux heures et nous avons dormi dans un champ de maïs, ayant pris le chemin qui doit nous mener à Caraguatarenda.

28

Dimanche. Nous nous sommes levés tôt et nous nous sommes mis en marche ; au bout d'une heure et demie nous étions dans les limites des chacos de Caraguatarenda et on a envoyé Benigno et Coco en reconnaissance ; mais un paysan les a vus et il a été fait prisonnier. Peu après nous avions toute une colonie de prisonniers qui ne montraient pas de signes particuliers de peur ; une vieille s'est mise à crier avec ses enfants à notre sommation, et ni Pacho ni Pablo n'ont eu le cœur de l'arrêter ; elle s'est enfuie vers le village. Nous avons occupé le village à 14 heures en nous postant aux deux bouts. Peu après nous avons pris une jeep des gisements. Au total, nous nous sommes emparé de deux jeeps et de deux camions, moitié de particuliers et moitié des gisements. Nous avons mangé un peu, bu du café, et après 50 discussions nous sommes partis à 19 h 30 dans la direction d'Ipitacito ; nous y avons forcé un magasin dont nous avons retiré pour $ 500 de marchandises que nous avons confiées en grande pompe à la garde des paysans. Poursuivant notre pérégrination nous sommes arrivés à Itay où nous avons été très bien reçus dans une maison où se trouvait précisément la propriétaire du magasin d'Ipitacito et nous avons fait la liste des prix. J'ai discuté et il me semble qu'ils m'ont reconnu ; ils avaient un fromage et un peu de pain qu'ils nous ont donnés, avec du café, mais il y a une fausse note dans cet accueil. Nous avons continué vers Espino, sur la voie ferrée de Santa Cruz, mais le camion, un Ford auquel on a enlevé la traction avant, est tombé en panne à trois lieues d'Espino ; nous avons passé la matinée à le remettre en marche et il a rendu l'âme totalement et définitivement à deux lieues de là. L'avant-garde s'est emparée de la ferme et la jeep a fait 4 voyages pour nous y transporter tous.

h = 880 m.

29

Le hameau de l'Espino est relativement récent, car l'ancien a été recouvert par l'innondation de 58. C'est une communauté guarani dont les membres, très timides, parlent très peu l'espagnol, ou font semblant. Il y avait tout près des ouvriers du pétrole qui travaillaient, et nous avons hérité d'un autre camion dans lequel nous pouvions tous nous installer ;

mais l'occasion a été perdue. car Ricardo s'est embourbé et n'a pas pu le retirer. La tranquillité a été absolue, comme si nous avions été dans un monde à part. Coco a été chargé de nous renseigner sur les chemins environnants et nous a rapporté des indications insuffisantes et contradictoires, au point qu'au dernier moment, alors que nous partions pour une marche quelque peu dangereuse mais qui devait nous mener près du Río Grande, nous n'y sommes pas allés et nous avons dû aller à Muchiri, où il y a de l'eau. En raison de tous les problèmes d'organisation, nous sommes partis à 3 h 30, le groupe d'avant-garde dans la jeep (6 ; 7 avec Coco) et les autres à pied.

La radio annonce que Loro, qui était à Camiri, s'est échappé.

30

Nous sommes arrivés de jour à la ligne de chemin de fer, et nous avons découvert que le chemin indiqué qui devait nous mener à Michuri n'existait pas. En le cherchant nous avons trouvé un chemin des gisements tout droit à 500 m de l'embranchement, et l'avant-garde l'a emprunté en jeep. Alors qu'Antonio se retirait, un petit jeune est arrivé avec un fusil et un chien et quand on lui a dit de s'arrêter il s'est enfui. Devant cet incident, j'ai laissé Antonio en embuscade à l'entrée du chemin et nous nous sommes éloignés à environ 500 m. A 11 h 45 Miguel a fait son apparition en annonçant qu'il avait marché 12 km vers l'est sans trouver de maison ni d'eau ; rien qu'un chemin qui s'écartait vers le nord. Je lui ai donné l'ordre d'aller en jeep avec trois hommes inspecter ce chemin sur 10 km vers le nord et de revenir avant la nuit. A 15 heures, je dormais tranquillement quand j'ai été réveillé par un tir de l'embuscade. Les nouvelles sont vite arrivées : l'armée s'était avancée et était tombée dans le piège : 3 morts et un blessé, tel est, semble-t-il, le bilan. Ont participé à cette embuscade : Antonio, Arturo, Nato, Luis, Willy et Raúl ; ce dernier très mollement. Nous nous sommes retirés à pied et nous avons fait 12 km jusqu'à l'embranchement sans trouver Miguel ; nous avons appris alors que la jeep hoquetait à cause du manque d'eau. Nous l'avons trouvée à 3 km de là : nous avons tous pissé dedans, et avec une gourde d'eau nous avons pu atteindre la dernière étape où attendaient Julio et Pablo. À 2 heures, tout le monde était réuni autour d'un feu, sur lequel nous avons rôti 3 paons et fait frire la viande de porc. Nous avons gardé un animal pour le faire boire aux points d'eau, par précaution.

Nous descendons : nous arrivons maintenant de 750 à 650 m.

31

La jeep a continué bravement avec son urine et une gourde d'eau. Deux incidents sont venus changer notre rythme : le chemin vers le nord s'est arrêté et Miguel a dû interrompre la marche ; un des groupes de surveillance a arrêté le paysan Gregorio Vargas qui venait à bicyclette poser des pièges ; c'est son travail. L'attitude de l'homme n'était pas nette du tout, mais il a donné des renseignements précieux sur les points d'eau. L'un d'eux se trouvait derrière nous et j'ai envoyé un groupe chercher de l'eau et faire la cuisine, avec le paysan comme guide. En arrivant, ils ont vu deux camions de l'armée et ils leur ont tendu en hâte une embuscade. Il semble qu'ils aient tué deux hommes. Nato ayant tiré sans succès une première cartouche à blanc l'a remplacée par une vraie balle et sa grenade antichar lui a explosé au nez, sans le blesser mais en mettant son arme en pièces. Nous avons continué à nous retirer sans être harcelés par l'aviation et nous avons marché environ 15 km avant de trouver le second point d'eau. Il faisait déjà nuit. La jeep surchauffée a donné ses derniers soubresauts faute d'essence. Nous avons passé la soirée à manger.

L'armée a publié un communiqué dans lequel elle admet qu'un sous-lieutenant et un soldat ont été tués hier, et elle nous attribue des morts qu'elle a « vus ». Demain j'ai l'intention de traverser la voie ferrée et de chercher les montagnes.

h = 620 m.

RESUME DU MOIS

Le point négatif c'est de ne pas pouvoir entrer en contact avec Joaquín, malgré nos pérégrinations dans les montagnes. Certains éléments indiquent qu'il s'est déplacé vers le nord.

Du point de vue militaire, trois nouveaux combats qui ont causé des pertes à l'armée sans que nous en subissions aucune, plus nos entrées à Pirirenda et à Caraguatarenda sont des signes de succès. Les chiens se sont révélés incapables et ont été retirés de la circulation.

Les caractéristiques les plus importantes sont :

1°) Absence de contact avec Manila, La Paz et Joaquín, ce qui nous réduit aux 25 hommes qui constituent le groupe.

2°) Absence totale d'engagement paysan, bien qu'ils commencent à ne plus avoir peur et que nous jouissions de leur admiration. C'est une tâche lente et qui demande de la patience.

3°) Par l'intermédiaire de Kolle le parti offre sa collaboration, sans réserves semble-t-il.

4°) Le battage de l'affaire Debray a donné plus de valeur guerrière à notre mouvement que 10 combats victorieux.

5°) La guérilla acquiert peu à peu un moral tout-puissant et sûr qui, s'il est bien utilisé, est une garantie de succès.

6°) L'armée ne s'organise toujours pas et sa technique ne s'améliore pas sensiblement.

La nouvelle du mois c'est l'emprisonnement et l'évasion de Loro, qui doit maintenant nous rejoindre ou se diriger vers La Paz pour rétablir les contacts.

L'armée a fait savoir qu'elle avait arrêté tous les paysans qui avaient collaboré avec nous dans la région de Masicuri ; il arrive maintenant une étape où la terreur s'exercera sur les paysans des deux côtés à la fois, quoique différemment ; notre triomphe sera le changement qualitatif nécessaire pour un nouveau développement de la guérilla.

Juin 1967

1er

J'ai envoyé l'avant-garde se poster sur le chemin et faire une reconnaissance jusqu'à l'embranchement du chemin des gisements, à environ 3 km. L'aviation a commencé à survoler la zone, ce qui confirme l'information donnée par la radio que le mauvais temps avait rendu les actions difficiles les jours précédents et que maintenant ils allaient les reprendre. Ils ont publié un communiqué bizarre au sujet de 2 morts et de 3 blessés dont on ne sait pas s'il s'agit des anciens ou de nouveaux. Après avoir mangé, à 5 h, nous sommes partis vers la route, nous avons fait 7 ou 8 km sans histoires, et nous avons marché 1 h 1/2 sur la route, puis nous avons pris un petit chemin abandonné qui doit nous conduire à un chaco à 7 km, mais tout le monde était déjà fatigué et nous avons dormi à mi-chemin. Pendant tout le trajet on n'a entendu qu'un coup de feu au loin.

2

h = 800.

On a fait les 7 km prévus par Gregorio et nous sommes arrivés au chaco ; là nous avons pris un gros cochon et nous l'avons tué, mais à ce moment-là sont arrivés le vacher de Braulio Robles, son fils et deux peons dont un s'est révélé un « achacao »[1] du propriétaire de la ferme, Symuni. Nous nous sommes servis de leurs chevaux pour faire les 3 km jusqu'au torrent et transporter le cochon dépecé et nous les avons retenus là pendant que nous cachions Gregorio, dont la disparition était connue. Presque au moment où le Centre arrivait, un camion de l'armée est passé avec des soldats et quelques barils, une proie facile, mais c'était jour de festin et de porc. Nous avons passé la soirée à faire la cuisine et à 3 h 30 nous avons relâché les 4 guajiros[2] en leur payant 10 $ chacun pour leur journée. A 4 h 30 Gregorio qui avait attendu le dîner et son réengagement s'en allait, on lui a donné 100 $. L'eau du torrent est amère.

3

Nous sommes partis à 6 h 30 par la rive gauche du torrent et avons marché jusqu'à midi, heure à laquelle on a envoyé Benigno et Ricardo en reconnaissance sur le chemin et ils ont trouvé un bon endroit pour tendre une embuscade. A 13 heures nous avons occupé les positions, Ricardo et moi avec chacun un groupe du centre, Pombo à une des extrémités et Miguel, avec toute l'avant-garde en un point idéal. A 14 h 30 est passé un camion avec des cochons et nous les avons laissé passer, à 16 h 20 une camionnette avec des bouteilles vides et à 17 heures un camion de l'armée, le même qu'hier, avec deux soldats enveloppés dans des couvertures, allongés sur les banquettes de la voiture. Je n'ai pas eu le courage de tirer et mon cerveau n'a pas fonctionné assez vite pour que j'aie l'idée de l'arrêter, nous l'avons laissé passer. A 18 heures nous avons levé l'embuscade et avons continué à descendre le chemin pour trouver à nouveau le torrent. A peine étions-nous arrivés que sont passés à la file 4 camions, et ensuite 3 autres, mais sans armée semble-t-il.

4

Nous avons continué à marcher au bord du torrent avec l'intention de tendre une autre embuscade si les conditions se présentaient, mais nous avons trouvé un chemin conduisant vers l'ouest et nous l'avons pris, ensuite nous avons continué par un lit de torrent sec et vers le sud. A 14 h 45 nous nous sommes mis à faire du café et de l'avoine. Dans

1. Fils de la femme. (N.d.Ed.).
2. Terme cubain désignant les paysans. (N.d.Ed.).

une flaque d'eau boueuse, mais on y est resté longtemps et c'est là que nous avons campé. Dans la soirée le vent du sud s'est levé, accompagné d'une pluie fine qui a duré toute la nuit.

5

Nous avons quitté le sentier et ouvert un chemin dans les bois sous la bruine constante du vent du sud. Nous avons marché jusqu'à 17 heures, effectivement 2 h 1/4 en taillant dans un mauvais maquis sur les flancs de la plus haute montagne de cet endroit. Le feu a été le grand Dieu de cette journée. La journée s'est passée sans prendre aucune nourriture ; nous gardons l'eau potable des gourdes pour le petit déjeuner de demain.

h = 750 m.

6

Après un maigre petit déjeuner Miguel, Benigno et Pablito sont allés préparer le chemin et explorer les lieux. Vers environ 14 heures, Pablo revenait avec la nouvelle qu'ils étaient arrivés à un chaco abandonné avec un troupeau. Nous nous sommes tous mis en marche et, suivant le cours du torrent, nous avons traversé le chaco pour aboutir au Río Grande. De là on a envoyé quelqu'un en reconnaissance avec l'ordre de prendre une maison proche et isolée si on en voyait une ce qui a été fait et les premiers renseignements indiquaient que nous étions à 3 km de Puerto Camacho, où il y avait environ 50 soldats. On y arrive par un sentier. Nous avons passé toute la soirée à préparer du porc et du locro[3] ; la journée n'a pas apporté ce qu'on en attendait et nous sommes partis, fatigués, après le lever du jour.

7

Nous avons marché avec précaution en évitant les pâturages abandonnés, jusqu'à ce que notre guide, un des fils du paysan nous annonce qu'il n'y en avait plus. Nous avons continué par la plage jusqu'au moment où nous avons rencontré un autre chaco dont on nous avait parlé, avec des potirons, de la canne à sucre, des bananiers et un peu de haricots. Nous avons établi là notre campement. Le gamin qui nous servait de guide a commencé à se

3. Soupe de riz, de charqui et de féculents typique de la région orientale de Bolivie.

plaindre de fortes douleurs de ventre, nous ne savons pas si c'était vrai.

h = 560 m.

8

Nous avons éloigné le campement de quelque 300 mètres pour nous libérer de la double surveillance de la plage et du chaco bien que par la suite nous nous soyions rendu compte que le paysan n'est jamais venu par le chemin mais en bateau. Benigno, Pablo, Urbano et Leon sont allés essayer de faire un chemin qui coupe par le pan de rocher mais ils sont revenus dans l'après-midi nous annoncer que c'était impossible. J'ai été obligé de lancer un autre avertissement à Urbano à cause de ses insolences. Nous avons décidé de faire un radeau demain, près du pan de rocher.

On donne des nouvelles de l'état de siège et de la menace de soulèvement des mineurs, mais tout tourne court.

11

Jour de totale quiétude ; nous sommes restés en embuscade mais l'armée n'a pas avancé ; un petit avion a simplement survolé la zone pendant quelques minutes. Il se peut qu'ils nous attendent au Rosita. Le chemin sur la colline a avancé et il arrive presque au sommet. Demain, de toute façon, nous partirons ; il nous reste largement de la nourriture pour 5-6 jours.

12

On a d'abord cru pouvoir arriver jusqu'au Rosita ou tout au moins à nouveau au Río Grande, et l'on a entrepris la marche. En arrivant à un petit point d'eau on s'est rendu compte que la chose était difficile, c'est pourquoi nous sommes restés là en attendant des nouvelles. À 15 heures on nous annonçait qu'il y avait un autre point d'eau, plus important mais qu'il était impossible de redescendre pour l'instant. Nous avons décidé de rester là. La journée tirait à sa fin et en plus le vent du sud nous a valu une nuit froide et pluvieuse.

La radio a donné une nouvelle intéressante : le journal Presencia annonce un mort et un blessé du côté de l'armée au cours de la rencontre de samedi ; ceci est une très bonne chose et c'est presque sûrement vrai, ainsi, nous maintenons le rythme des rencontres avec des pertes pour l'ennemi. Un autre communiqué annonce 3 morts parmi lesquels Inti, un des chefs des guérilleros et donne

la composition étrangère de la guérilla : 17 Cubains, 14 Brésiliens, 4 Argentins, 3 Péruviens. Pour ce qui est des Cubains et des Péruviens, cela correspond à la vérité ; il faut voir comment ils ont appris cela.
h = 900 m.

13

Nous n'avons marché qu'une heure, jusqu'au point d'eau suivant, car les débroussailleurs ne sont arrivés ni au Rosita ni au río. Très froid. Il est possible qu'on y arrive demain. Il nous reste de quoi manger, un peu juste, pour 5 jours.
Ce qui est intéressant c'est le bouleversement politique du pays, la fabuleuse quantité de pactes et de contre-pactes qu'il y a dans l'air. On a rarement vu aussi clairement le rôle catalyseur que peut jouer la guérilla.
h = 840 m.

14

Celita = (4 ?)

Nous avons passé la journée au point d'eau froide, auprès du feu, en attendant des nouvelles de Miguel et d'Urbano qui étaient les débroussailleurs. Le délai qu'ils avaient pour se déplacer allait jusqu'à 15 heures, mais Urbano est arrivé plus tard annoncer qu'ils étaient arrivés à un torrent et qu'on apercevait des repères, ce qui lui faisait croire qu'on pourrait arriver au Río Grande. Nous sommes restés là et avons mangé le dernier potage, il ne reste plus qu'une ration de cacahuètes et 3 de mote.
Me voici arrivé à 39 ans et je vais inexorablement vers un âge qui me donne à réfléchir sur mon avenir de guérillero ; pour l'instant, je suis « entier ».
h = 840 m.

15

Nous marchons un peu moins de 3 heures pour arriver aux bords du Río Grande à un endroit que nous avons reconnu et dont je calcule qu'il se trouve à deux heures du Rosita ; Nicolas, le paysan, parle de 3 km. On lui a donné 150 pesos et la permission de s'en aller, il a filé comme une fusée. Nous restons à l'endroit où nous sommes arrivés ; Aniceto a fait une reconnaissance et croit qu'on pourra traverser la rivière. Nous avons mangé de la soupe de cacahuète et un peu de cœur de totai bouilli et revenu dans de la graisse ; il reste du mote pour trois jours seulement.
h = 610 m.

16

Après un kilomètre de marche nous avons vu sur la rive opposée les hommes de l'avant-garde. Pacho avait traversé pour explorer les lieux et avait trouvé le gué. Nous avons traversé dans l'eau glacée qui nous arrivait jusqu'à la taille : il y avait un peu de courant mais rien de spécial. Une heure plus tard nous sommes arrivés au Rosita où il y a quelques vieilles empreintes de chaussures, de l'Armée, semble-t-il. Il se trouve que le Rosita charrie plus d'eau que prévu et il n'y a pas trace du sentier marqué sur la carte. Nous avons marché une heure dans l'eau glacée et nous avons décidé de camper là pour profiter des cœurs de totai et essayer de trouver une ruche que Miguel avait vue au cours d'une reconnaissance antérieure ; on n'a pas trouvé la ruche et nous n'avons mangé que du mote et des palmistes avec de la graisse. Il reste à manger pour demain et après demain (mote). Nous avons marché environ 3 km vers le Rosita et encore 3 km vers le Río Grande.

h = 610 m.

17

Nous avons marché pendant quelque 15 km le long du Rosita, en 5 h 1/2. En route, nous avons traversé 4 torrents, bien qu'il n'y en ait qu'un seul d'indiqué sur la carte, l'Abapocito. On a trouvé des traces de passage récent, en abondance. Ricardo a tué un hochi[4], ce qui avec le mote nous a nourris pour toute la journée. Il reste du mote pour demain, mais il est probable que nous trouverons une maison.

18

Beaucoup d'entre nous ont brûlé leurs vaisseaux et mangé tout le mote au petit déjeuner. A 11 heures, après deux heures de marche, nous sommes tombés sur un chaco avec du maïs, du yucca, de la canne à sucre, un pressoir pour l'écraser, des potirons et du riz. Nous avons préparé un repas sans protéine et envoyé Benigno et Pablito faire une reconnaissance des lieux. A 2 heures, Pablo est revenu avec la nouvelle qu'ils avaient rencontré un paysan dont le chaco est à 500 mètres d'ici et qu'un peu plus loin il y en avait d'autres qu'ils ont faits prisonniers quand ils sont arrivés. Dans la soirée nous avons changé de campement et avons

4. Espèce d'agouti. (N.d.Ed.).

dormi dans le chaco des jeunes gens situé juste à l'embouchure du chemin qui vient d'Abapo à sept lieues d'ici. Leurs maisons sont à 10-15 km au-delà de l'endroit où le Mosquera et l'Oscura se rejoignent, au bord de cette dernière rivière.

h = 680 m.

19

Nous avons marché lentement pendant près de 12 km pour arriver au hameau composé de 3 maisons habitées par autant de familles. A deux kilomètres plus bas habite une famille Galvez, juste à la jonction du Mosquera et de l'Oscuro ; il faut traquer les habitants pour pouvoir parler avec eux, car ils sont comme des petits animaux. En général, ils nous ont bien reçus, mais Calixto, nommé maire par une commission militaire qui est passée par ici il y a un mois, s'est montré réservé et hostile au fait de nous vendre quelques petites choses. A la tombée de la nuit, sont arrivés 3 marchands de cochons avec un revolver et un fusil mauser ; on les a passés à la sentinelle de l'avant-garde, Inti, qui les a interrogés, il ne leur a pas enlevé leurs armes et Antonio qui les surveillait l'a fait avec beaucoup de désinvolture. Calixto a affirmé que ce sont des commerçants de Postrer Valle et qu'il les connaissait.

h = 680 m.

Il y a une autre rivière qui vient se jeter dans le Rosita, sur sa gauche et qui s'appelle Suspiro ; personne n'habite le long de son cours.

20

Dans la matinée, Paulino, un des jeunes gens du chaco d'en bas nous a informés que les trois individus n'étaient pas des commerçants : il y avait un lieutenant et les deux autres n'étaient pas commerçants non plus. Il avait obtenu ce renseignement par la fille de Calixto qui est sa fiancée. Inti y est allé avec plusieurs hommes et leur a donné jusqu'à 9 heures pour faire sortir l'officier ; sinon, ils seraient tous fusillés. Il est venu tout de suite en pleurant. C'est un sous-officier de police qui a été envoyé avec un carabinier et l'instituteur de Postrer Valle qui est venu comme volontaire. Ils ont été envoyés par un colonel qui se trouve dans ce village avec 60 hommes. Leur mission comportait un long voyage pour lequel on lui avait donné 4 jours et devait s'étendre jusqu'à d'autres endroits le long du cours de l'Oscura. On a envisagé de les tuer, mais ensuite, j'ai décidé de les relâcher en leur lançant un sévère avertissement sur les règles de la guerre. En recherchant comment ils avaient bien pu passer, on s'est aperçu qu'Aniceto avait abandonné la garde pour appeler Julio et que c'est à ce moment-là qu'ils s'étaient glissés ; en outre, Aniceto et Luis ont été trouvés endormis au poste de garde. Ils ont été punis et seront pendant 7 jours aide-cuisiniers et ne mangeront pas de porc de toute la journée, ni grillé, ni frit, ni de potage servi en abondance. Les prisonniers seront dépouillés de toutes leurs affaires.

21

La vieille.

Après une journée de nombreuses extractions dentaires au cours de laquelle j'ai rendu célèbre mon nom de Fernando Sacamuelas (alias) chaco j'ai fermé mon cabinet de consultations et nous sommes partis dans l'après-midi et avons marché un peu plus d'une heure. Pour la première fois, au cours de cette guerre, j'étais monté sur un mulet. Les 3 prisonniers ont été emmenés une heure sur le chemin de Mosquera et dépouillés de toutes leurs affaires y compris de leurs montres et de leurs abarcas[5]. Nous avions l'intention d'emmener Calixto, le maire, comme guide, avec Paulino, mais il était malade ou faisait semblant de l'être et nous l'avons laissé là en lui adressant de sérieux avertissements ce qui n'aura sans doute servi à rien. Paulino s'est engagé à aller jusqu'à Cochabamba avec mon message. On lui donnera une lettre pour la femme d'Inti, un message en code pour Manila et les 4 communiqués. Le quatrième donne la composition de notre guérilla et dément la mort d'Inti ; c'est le [ ][6]. Nous allons maintenant voir si nous pouvons établir le contact avec la ville. Paulino a fait semblant d'être venu en tant que prisonnier.

h = 750 m.

22

Nous avons marché efficacement pendant quelques heures, abandonnant l'Oscura ou Morocos pour arriver à un point d'eau dit Pasiones. Nous avons consulté la carte et tout indiquait que nous n'étions plus qu'à six lieues de Florida ou du premier endroit où il y a des maisons, Piray, où habite un beau-frère de Paulino, mais il ne connaît pas le chemin. Nous avions l'intention de continuer

5. Sandales paysannes. (N.d.Ed.).

6. En blanc dans l'original. (N.d.Ed.).

pour profiter de la lune, mais ça ne vaut pas la peine étant donné la distance à laquelle nous nous trouvons.
h = 950 m.

23

Nous n'avons fait qu'une heure de route positive, le sentier s'est perdu et nous avons passé toute la matinée et une partie de l'après-midi avant de le retrouver et ensuite, le reste du temps à le dégager pour demain. La nuit de la Saint-Jean n'a pas été aussi froide qu'on aurait pu le croire d'après ce qu'en dit la renommée.
h = 1 050 m.
L'asthme commence à me menacer sérieusement et il y a très peu de réserve de médicaments.

24

Nous avons fait en tout quelque 12 km, 4 heures positives. Par endroits le chemin était bon nettement visible, par endroits, il fallait l'inventer. Nous sommes descendus par une pente incroyablement abrupte en suivant des traces de bergers passés là avec leurs troupeaux. Nous avons campé près d'un filet d'eau au flanc du Durán. La radio donne des nouvelles de la lutte dans les mines. Mon asthme augmente.
h = 1 200 m.

25

Nous avons continué notre route par le chemin fait par les bergers sans les rejoindre. Au milieu de la matinée il y avait un pâturage en feu et l'aviation a survolé la zone. Nous ne savons toujours pas s'il y a un rapport entre ces deux événements mais nous avons poursuivi notre route et sommes arrivés à 16 h à Piray, où habite la sœur de Paulino. Dans cet endroit il y a 3 maisons dont une abandonnée, dans l'autre il n'y avait personne et dans la troisième nous avons trouvé la sœur de Paulino et ses 4 enfants, mais pas le mari qui était sorti avec Paniagua, celui de l'autre maison, pour aller à la Florida. Tout avait l'air normal. A un km de là habite une fille de Paniagua et c'est cette maison-là que nous avons choisie pour y camper, nous avons acheté un veau que nous avons sacrifié immédiatement. Coco, avec Julio, Camba et Leon ont été envoyés jusqu'à Florida pour faire quelques achats mais ils se sont rendus compte que l'armée y était ; environ 50 hommes et il doit en venir davantage, jusqu'à ce qu'ils arrivent à 120-130. Le propriétaire de la maison est un vieux qui s'appelle Fenelon Coca.

La radio argentine annonce 87 victimes ; les Boliviens en cachent le nombre (Siglo XX). Mon asthme continue à augmenter et maintenant il m'empêche de bien dormir. h = 780 m.

26

Jour noir pour moi. Tout avait l'air normal et j'avais envoyé 5 hommes remplacer ceux qui étaient en embuscade sur la route de Florida quand on a entendu des coups de feu. Nous nous y sommes rendus rapidement à cheval et nous nous sommes trouvés devant un spectacle étrange : au milieu d'un silence total, gisaient au soleil, sur le sable de la rivière, quatre cadavres de soldats. Nous ne pouvions pas aller récupérer leurs armes car nous ignorions la position de l'ennemi ; il était 17 heures et nous avons attendu la nuit pour pouvoir le faire : Miguel nous a fait dire qu'on entendait un bruit de branches cassées sur sa gauche ; Antonio et Pacho y sont allés mais j'ai donné l'ordre de ne pas tirer sans voir. Presque aussitôt on a entendu des coups de feu qui se sont généralisés des deux côtés, j'ai ordonné une retraite car nous avions toutes les chances de perdre dans ces conditions. La retraite a tardé et la nouvelle nous est parvenue qu'il y avait deux blessés : Pombo à une jambe, et Tuma au ventre. Nous les avons transportés rapidement à la maison pour les opérer avec les moyens du bord. La blessure de Pombo est superficielle et les seules conséquences en seront que son manque de mobilité nous causera des soucis, celle de Tuma lui avait déchiré le foie et avait provoqué une perforation intestinale, il est mort pendant l'opération. Avec lui j'ai perdu l'inséparable compagnon de toutes ces dernières années, d'une fidélité à toute épreuve et j'ai un peu l'impression d'avoir perdu un fils. Quand il est tombé, il a demandé qu'on me remette sa montre, et comme ils ne le faisaient pas, occupés qu'ils étaient à le soigner, il l'a ôtée et il l'a remise à Arturo. Ce geste signifie qu'il souhaitait que cette montre soit envoyée à son fils qu'il ne connaissait pas, comme je l'avais fait pour toutes les montres des camarades morts auparavant. Je la porterai pendant toute la guerre. Nous avons emporté le cadavre sur un cheval pour l'enterrer loin de là.

On a arrêté deux nouveaux espions, un lieutenant de carabiniers et un carabinier. On les a chapitrés et on les a remis en liberté en ne leur laissant que leur caleçon, parce qu'on avait mal interprété l'ordre que j'avais donné de leur retirer tout ce qui pourrait être utile. Nous sommes partis avec 9 chevaux.

27

Après avoir rempli la triste tâche d'enterrer, bien mal, Tuma, nous avons poursuivi notre voyage et sommes arrivés en plein jour à Tejería proprement dit. A 14 heures l'avant-garde est allée faire un voyage de 15 km et nous sommes, nous, partis à 14 h 30. Le voyage a été long pour les derniers qui ont été surpris par la nuit et ont dû attendre la lune. Ils sont arrivés à 2 h 30 chez Paliza d'où étaient nos guides.

h = 850.

28

Nous avons rendu 2 chevaux au propriétaire de la maison de Tejeria qui est un neveu de la vieille Paniagua, pour qu'il les lui fasse parvenir.

On a trouvé un guide pour 40 $ et il a proposé de nous conduire jusqu'à l'embranchement du chemin qui va chez Don Lucas ; mais nous nous sommes arrêtés avant dans une maison qui avait son point d'eau. Nous sommes partis tard, mais les derniers, Moro et Ricardo ont été terriblement en retard et je n'ai pas pu écouter les nouvelles. Nous avons fait une moyenne d'un km à l'heure. D'après ce qu'on dit, l'Armée, ou une radio à son service parle de 3 morts et deux blessés au cours d'une rencontre avec les guérilleros dans la zone de Mosquera ; il doit s'agir de notre dernier combat, pourtant on a vu, presque sans aucun doute possible, 4 cadavres, à moins que l'un d'entre eux ne soit arrivé à simuler la mort, de façon parfaite.

La maison d'un certain Zea n'était pas habitée, mais il y avait plusieurs vaches dont on a enfermé les veaux.

h = 1 150 m.

29

J'ai eu une conversation sérieuse avec Moro et Ricardo à cause du retard, surtout avec Ricardo. Coco et Dario, de l'avant-garde, et Moro sont partis avec les sacs à dos chargés sur les chevaux. Nato a gardé le sien car c'est lui qui est chargé de tous les animaux. Celui de Pombo et le mien ont été chargés sur un mulet. Pombo a pu arriver assez facilement sur une jument docile. Nous l'avons installé chez Don Lucas, qui habite tout en haut, à 1 800 m et qui était là avec ses deux filles, l'une d'elles a un goître. Il y a encore deux autres maisons dont une appartient à un travailleur saisonnier, elle est presque vide, l'autre bien installée. La nuit a été pluvieuse et froide. D'après les renseignements, Barchelon est à une demie-journée de route, mais d'après deux paysans qui sont arrivés par le sentier, celui-ci est très mauvais. Le maître de la maison ne dit pas la même chose et prétend qu'on peut facilement s'arranger. Les paysans sont venus voir le type qui habite dans l'autre maison et ont été arrêtés comme suspects.

En route j'ai eu une conversation avec notre troupe qui se compose maintenant de 24 membres. J'ai cité aux hommes un exemple de plus, el Chino ; j'ai expliqué ce que représentaient les pertes et ce que représentait pour moi personnellement la mort de Tuma que je considérais presque comme un fils. J'ai critiqué le manque d'autodiscipline, la lenteur de la marche et j'ai promis de leur donner quelques notions supplémentaires pour que ce qui venait d'arriver ne se reproduise plus dans les embuscades : des pertes de vies inutiles parce que les règles n'avaient pas été observées.

30

Le vieux Lucas nous a donné quelques renseignements sur ses voisins d'où il ressort que l'armée est déjà venue par ici préparer le terrain. Un d'entre eux, Andulfo Díaz est secrétaire général du syndicat paysan de la zone, syndicat barrientiste ; l'autre est un vieux bavard qu'on a relâché parce qu'il est paralysé et il y en a un autre qui est un trouillard, d'après ses collègues, et qui peut parler pour s'éviter des complications. Le vieux a promis de nous accompagner et de nous aider à nous ouvrir un chemin vers Barchelón ; les deux paysans nous suivront. Nous avons passé la journée à nous reposer, journée pluvieuse et troublée.

Sur le plan politique, le plus important est la déclaration d'Ovando disant que je suis ici. En outre, il a dit que l'Armée avait à faire à des guérilleros parfaitement entraînés, qu'elle comptait même dans ses rangs des commandants vietcongs qui avaient mis en déroute les meilleurs régiments de l'armée nord-américaine. Il se fonde sur les déclarations de Debray qui, semble avoir parlé plus qu'il n'aurait fallu, bien que nous ne puissions pas savoir exactement ce que ça représente, ni dans quelles circonstances il a dit ce qu'il semble avoir dit. Le bruit court également que Loro a été assassiné. Ils prétendent que je suis l'instigateur de l'insurrection dans les mines, coordonnée avec l'affaire de Nancahuasu. Les choses s'arrangent bien ; d'ici peu, je cesserai d'être « Fernando Sacamuelas ».

On a reçu un message de Cuba dans lequel ils expliquent à quel point l'organisation guérillera se développe peu au Pérou, où c'est à peine s'ils ont des armes et des hommes, mais ils ont dépensé une fortune et parlent d'une prétendue organisation guérillera avec Paz Estensoro, un colonel

Seone et un certain Ruben Julio, un richard Mouvementiste de la région de Pando ; ils seraient à Guayaramerin [ ]. C'est le [ ].

ANALYSE DU MOIS

Les points négatifs sont : l'impossibilité de rentrer en contact avec Joaquín et la perte successive d'hommes. Chacun constitue une défaite, bien que l'Armée ne le sache pas. Nous avons livré quelques petits combats dans le mois et causé à l'Armée 4 morts et 3 blessés, si on se fonde sur leurs propres informations.

Les caractéristiques les plus importantes sont :

1°) Le manque de contact est toujours total, ce qui fait que nous en sommes réduits aux 24 hommes que nous sommes, avec Pombo blessé et une mobilité réduite.

2°) Le manque d'engagement de la part des paysans continue à se faire sentir. C'est un cercle vicieux : pour amener les paysans à s'engager, il faut que nous puissions exercer notre action de façon permanente sur un terrain habité et pour cela nous avons besoin de plus d'hommes.

3°) La légende de la guérilla prend des proportions fabuleuses ; nous sommes devenus des surhommes invincibles.

4°) Le manque de contact s'étend au parti, bien que nous ayions fait une tentative à travers Paulino qui peut donner des résultats.

5°) Debray continue à occuper le centre des informations mais maintenant c'est en rapport avec moi et j'apparais comme le chef de ce mouvement. Nous verrons les résultats de cette démarche du gouvernement et si c'est négatif ou positif pour nous.

6°) Le moral de la guérilla est solide et sa décision de lutte s'accroît. Tous les Cubains donnent l'exemple au combat et il n'y a que deux ou trois Boliviens qui soient mous.

7°) L'armée continue à être nulle en ce qui concerne sa tâche militaire mais elle est en train de faire auprès des paysans un travail auquel nous devons faire attention car elle transforme en mouchards tous les membres d'une communauté, soit par la peur soit parce qu'elle les trompe sur nos buts.

8°) Le massacre dans les mines donne une vue claire de la situation pour nous et si la proclamation peut être diffusée, cela aidera beaucoup à la mise au point.

Notre tâche la plus urgente est de rétablir le contact avec la Paz et de renouveler notre ravitaillement en équipement militaire et médical et d'obtenir la mobilisation de 50-100 hommes de la ville, bien que dans l'action, le nombre des combattants se réduise à 10-25.

Juillet 1967

1er

Avant que le jour soit complètement levé nous sommes partis en direction de Barchelón, Barcelona sur la carte. Le vieux Lucas nous a donné un coup de main pour arranger le chemin, mais celui-ci reste malgré tout assez abrupt et glissant. L'avant-garde est partie le matin et nous sommes partis à midi ; il nous a fallu tout l'après-midi pour descendre et remonter la gorge. Nous avons dû dormir dans le premier chaco, séparés de l'avant-garde qui continuait de l'avant. Il y avait 3 enfants qui s'appelaient Yepez, extrêmement timides.

Barrientos a donné une conférence de presse au cours de laquelle il a admis ma présence, mais prédit que je serais liquidé en quelques jours. Il a servi sa kyrielle habituelle de stupidités, nous traitant de rats et de vipères, et il a réitéré son intention de châtier Debray.

h = 1 550 m.

Nous avons arrêté un paysan qui s'appelle Andrés Coca ; nous l'avons trouvé en chemin et nous avons emmené avec nous les deux autres, Roque et son fils Pedro.

2

Dans la matinée nous avons rejoint l'avant-garde qui avait campé sur la hauteur, dans la maison de Don Nicomedes Arteaga, où il y a un oranger et où on nous a vendu des cigarettes. La maison principale est en bas, sur la Piojera, et nous y sommes allés ; nous avons mangé copieusement. La Piojera coule complètement encaissée et on ne peut la suivre à pied que vers l'aval, dans la direction de l'Angostura ; la sortie se trouve vers la Junta, autre endroit sur la même rivière, mais il faut traverser la colline qui est assez haute. L'endroit est important car il constitue un carrefour de chemins. Il n'est qu'à 950 m et beaucoup plus tempéré ; la tique cède la place au mariguy. Le hameau est constiué par l'habitation d'Arteaga et de celles de plusieurs de ses fils ; ils ont un petit champ de caféiers où viennent travailler temporairement des gens du voisinage. Il y a actuellement 6 peons des environs de San Juan.

La jambe de Pombo ne guérit pas suffisamment vite, probablement en raison des interminables voyages à cheval, mais il n'y a pas de complications et nous n'en craignons pas pour l'instant.

3

Nous sommes restés sur place toute la journée, pour essayer de faire reposer le plus possible la jambe de Pombo. Nous faisons les achats au prix fort, ce qui fait que les paysans sont partagés entre la peur et l'intérêt, et qu'ils obtiennent pour nous ce dont nous avons besoin. J'ai fait quelques photos qui m'on valu l'intérêt de tous ; nous verrons comment les développer, les agrandir et les faire parvenir : 3 problèmes. Un avion est passé l'après-midi, et le soir quelqu'un a parlé d'un danger de bombardements nocturnes ; tous les habitants allaient partir le soir mais nous les avons retenus en leur expliquant qu'il n'y avait pas de danger. Mon asthme continue à me faire la guerre.

6

Nous sommes partis de bonne heure dans la direction de Peña Colorada, en traversant une zone peuplée qui nous a reçus avec terreur. En fin d'après-midi nous sommes arrivés au-dessus de Palermo, à 1 600 m et nous avons commencé la descente vers le village où il y a une petite boutique où nous avons fait des achats par précaution. Il faisait déjà nuit quand nous avons débouché sur la route où il n'y a que la maison d'une vieille veuve. L'avant-garde indécise n'a pas réussi à l'occuper. Le plan consistait à s'emparer d'un véhicule venant de Sumaipata, se renseigner sur les conditions qui y régnaient et y aller avec le chauffeur du véhicule ; prendre ensuite la DIC, faire des achats à la pharmacie, piller l'hôpital, acheter quelques conserves et quelques gâteries et repartir.

Nous avons changé d'avis parce qu'il ne venait pas de véhicules de Sumaipata et parce que nous avons appris que là-bas on n'arrêtait pas les véhicules : autrement dit, la voie était libre. Ricardo, Coco, Pacho, Aniceto, Julio et Chino ont été chargés de l'opération. Ils ont arrêté un camion qui venait de Santa Cruz, sans difficulté, mais il en venait un autre derrière qui s'est arrêté par solidarité et il a fallu le saisir aussi ; ils ont dû alors parlementer longuement avec une dame qui voyageait dans le camion et qui ne voulait pas faire descendre sa fille ; un troisième camion s'est arrêté pour voir ce qui se passait ; devant l'indécision des gens un quatrième camion s'est arrêté et le chemin s'est trouvé obstrué. Les choses se sont arrangées : les 4 camions se sont rangés sur le bas-côté et un chauffeur répondait à ceux qui le questionnaient qu'ils faisaient une halte. Nos hommes sont partis dans un camion, sont arrivés à Sumaipata, ont capturé deux carabiniers, ensuite le lieutenant Vacaflor, chef de poste. Ils se sont fait donner le mot de passe par le sergent et ils ont pris le poste avec 10 soldats, dans une action éclair, après une violente escarmouche et un échange de balles avec un soldat qui résistait. Ils ont réussi à prendre 5 mausers et une Z-B-30 et ils ont emmené les 10 prisonniers qu'ils ont laissés tout nus à 1 km de Sumaipata. Sur le plan du ravitaillement l'opération a été un échec ; El Chino s'est laissé manœuvrer par Pacho et Julio et on n'a rien acheté d'utile ; parmi les médicaments, aucun de ceux dont j'ai besoin, encore qu'on ait acheté les plus indispensables pour la guérilla. L'opération s'est déroulée devant tous les habitants et devant la foule des voyageurs, si bien que la nouvelle s'est répandue comme une traînée de poudre. A 2 heures nous marchions déjà sur le chemin du retour avec notre butin.

7

Nous avons marché sans faire halte jusqu'à ce que nous arrivions à un champ de canne où un homme nous avait bien reçus la fois précédente, à une lieue de la maison de Ramón. La peur reste ancrée dans la population ; l'homme nous a vendu un porc et s'est montré aimable, mais il nous a prévenus qu'il y avait 200 hommes à Los Ajos, et que son frère, qui venait d'arriver de San Juan, avait annoncé que là-bas il y avait 100 soldats. Je voulais lui arracher des dents mais il a préféré que je ne le fasse pas. Mon asthme augmente.

8

Nous avons marché depuis la maison de la canne jusqu'à la Piojera, avec précautions, mais tout était tranquille et il n'était même pas question de soldats ; les gens qui venaient de San Juan disaient que là-bas il n'y en avaient pas. Ç'avait été apparemment une ruse de l'homme pour nous faire partir. Nous avons fait environ deux lieues le long de la rivière jusqu'à El Piray et de là une autre lieue jusqu'à la cave où nous sommes arrivés quand il commençait à faire nuit. Nous sommes près du Filo.

Je me suis fait plusieurs piqûres pour pouvoir continuer, et finalement j'ai utilisé une solution d'adrénaline à 1/900 pour collyre. Si Paulino n'a pas rempli sa mission nous devrons retourner au Nacahuaso chercher des médicaments pour mon asthme.

L'armée a passé un communiqué sur l'opération, en reconnaissant qu'elle a eu un homme tué, ce qui a dû se produire pendant l'escarmouche quand Ricardo, Coco et Pacho ont pris le poste.

9

Nous avons perdu notre route au départ et nous avons passé la matinée à la chercher. A midi nous avons emprunté un chemin pas très net qui nous a menés à la plus grande hauteur que nous ayions atteinte jusqu'ici : 1 840 m ; peu après nous sommes arrivés à une tapera [1] où nous avons passé la nuit. Aucune garantie sur le chemin du Filo.

La radio a annoncé un accord en 14 points entre les travailleurs de Catavi et Siglo XX et la Comibol ; c'est une défaite totale pour les travailleurs.

10

Nous sommes partis tard parce qu'on avait perdu un cheval qui est revenu ensuite. A la plus haute altitude, 1 900 m nous sommes passés par un chemin peu utilisé. A 15 h 30 nous sommes arrivés à une tapera où nous avons décidé de passer la nuit, mais nous avons eu la surprise désagréable de voir que les chemins s'arrêtaient. On a inspecté des sentiers qu'on avait laissés de côté mais ils ne menaient nulle part. On voyait en face des chacos qui pouvaient être ceux du Filo.

La radio a annoncé un accrochage avec des guérilleros dans la zone d'El Dorado, qui ne figure pas sur la carte, et qui se trouve entre Sumaipata et Río Grande ; l'armée déclare qu'elle a un blessé et nous attribue deux morts.

Par ailleurs, les déclarations de Debray et d'El Pelado ne sont pas bonnes ; surtout, ils ont reconnu le but continental de la guérilla, ce qu'ils n'avaient pas à faire.

1. Cabane abandonnée ou hutte à usage provisoire. (N.d.Ed.).

11

Journée pluvieuse et de brume épaisse : en revenant nous avons perdu tous les chemins et finalement nous sommes restés séparés de l'avant-garde qui est descendue en rouvrant un ancien sentier. Nous avons tué un veau.

12

Nous avons passé toute la journée à attendre des nouvelles de Miguel, mais il n'est arrivé que Julio à la tombée de la nuit, disant qu'il était descendu à un torrent qui coulait en direction du sud. Nous sommes restés sur place. L'asthme m'a harcelé assez fort.

La radio donne maintenant une autre nouvelle qui a l'air vraie sur le point le plus important ; elle parle d'un combat dans l'Iquira, avec un mort de notre côté, dont les soldats ont emporté le cadavre à Lagunillas. L'euphorie que leur cause ce cadavre indique qu'il y a quelque chose de vrai dans tout ça.

13

Le matin nous avons descendu une colline très escarpée et rendue glissante par le mauvais temps, et nous avons trouvé Miguel à 11 h 30. J'avais envoyé Camba et Pacho reconnaître un sentier qui s'écartait de celui qui suivait le cours du torrent et ils sont revenus une heure plus tard en disant qu'on voyait des chacos, des maisons et qu'ils avaient été dans l'un d'eux, abandonné. Nous nous y sommes transportés et ensuite, en suivant le cours d'un petit torrent, nous sommes arrivés à la première maison, où nous avons passé la nuit. Le propriétaire est arrivé plus tard et nous a informés qu'une femme, la mère du maire, nous avait vus et qu'elle devait avoir déjà renseigné les soldats qui se trouvent dans le hameau même du Filo, à une lieue d'ici. On a monté la garde toute la nuit.

14

Après une nuit de chilcheo permanent[2], ça a continué toute la journée, mais à midi nous sommes partis en emmenant deux guides, Pablo beau-frère du maire, et Aurelio Mancilla, l'homme de la première maison. Nous avons laissé les femmes en larmes. Nous sommes arrivés à un endroit où le chemin bifurque ; d'un côté il mène à Florida et Moroco, de l'autre à Pampa. Les guides ont proposé de suivre le chemin de Pampa, d'où on pouvait prendre un tronçon récemment ouvert jusqu'au Mosquera et nous avons accepté ; mais

2. Petite pluie fine (N.d.Ed.).

nous avions à peine parcouru 500 m que nous avons vu arriver un jeune soldat et un paysan avec un cheval chargé de farine et un message pour le sous-lieutenant du Filo de la part de son collègue de Pampa, où il y a 30 soldats. Nous avons décidé de changer de direction ; nous nous sommes enfoncés dans le chemin de Florida et nous avons campé peu après.

Le PRA et le PSB se retirent du Front de la Révolution et les paysans menacent Barrientos d'une alliance avec la Phalange. Le gouvernement se désintègre rapidement. Dommage que nous n'ayions pas 100 hommes de plus en ce moment.

15

Nous avons marché assez peu car le chemin était mauvais, abandonné depuis plusieurs années. Sur les conseils d'Aurelio nous avons tué une vache du maire, et nous avons fait un repas somptueux. L'asthme m'a un peu quitté.

Barrientos a annoncé l'opération Cintia, pour nous liquider en quelques heures.

16

Nous avons commencé la marche très lentement, car il y a eu un très gros travail de débroussaillage et les bêtes ont beaucoup souffert du mauvais chemin, mais nous sommes arrivés sans trop d'encombres à la fin de la journée dans une gorge étroite où il était impossible de continuer avec les chevaux chargés. Miguel et 4 hommes de l'avant-garde ont continué de l'avant et ont dormi séparés de nous.

La radio n'a pas donné de nouvelles dignes d'être signalées. Nous sommes passés à une altitude de 1 600 m près du Durán que nous avons laissé sur notre gauche.

17

Nous avons perdu le chemin et nous avons donc continué à marcher lentement. Nous avions l'espoir d'arriver à un champ d'orangers qu'avait signalé le guide, mais quand nous l'avons atteint nous avons trouvé les arbres desséchés. Il y a un point d'eau qui nous a permis de camper. Nous n'avons fait que 3 heures de marche réelle. Mon asthme va beaucoup mieux. Nous rencontrerons probablement le chemin que nous avons utilisé pour arriver à Piray. Nous sommes à côté du Durán.

h = 1 560 m.

18

Au bout d'une heure de route le guide a perdu son chemin et a déclaré qu'il ne s'y retrouvait plus. On a trouvé finalement un ancien sentier et Miguel l'a suivi en s'ouvrant un passage ; il est arrivé à l'embranchement avec le chemin de Piray. En arrivant à un petit torrent où nous avons campé, nous avons libéré les 3 paysans et le jeune soldat, après leur avoir fait la leçon. Coco est parti avec Pablito et Pacho pour savoir si Paulino a laissé quelque chose dans la cache ; ils doivent revenir demain soir si tout se passe comme prévu. Le jeune soldat dit qu'il va déserter.

h = 1 300 m.

19

Nous avons fait le petit voyage jusqu'à l'ancien campement et nous y sommes restés, avec une garde renforcée, pour attendre Coco ; il est arrivé après 18 h en disant qu'il n'y avait rien de neuf là-bas : le fusil est à sa place et il n'y a pas de traces de Paulino. Par contre, il y beaucoup de traces de soldats qui ont laissé aussi des signes de leur passage dans la partie du chemin où nous nous trouvons.

Les nouvelles politiques dénotent une crise terrible dont on ne sait pas à quoi elle va aboutir. Pour l'instant, les syndicats agricoles de Cochabamba ont formé un parti politique « d'inspiration chrétienne » qui soutient Barrientos et celui-ci demande qu'on le « laisse gouverner 4 ans » ; c'est presque une supplication. Siles Salinas menace l'opposition en lui disant que notre arrivée au pouvoir coûtera la tête à tous, et il prône l'unité nationale, en déclarant le pays sur pied de guerre. Il a l'air implorant d'un côté et démagogue de l'autre ; il se prépare peut-être une substitution.

20

Nous avons marché avec précaution jusqu'aux deux premières maisons où nous avons trouvé un des fils Paniagua et le gendre de Paulino. Ils ne savaient rien de ce dernier, sinon que l'armée le recherchait parce qu'il nous avait guidés. Les traces correspondent à un groupe de 100 hommes qui sont passés une semaine après nous et qui ont continué jusqu'à Florida. Il paraît que l'armée a eu 3 morts et 2 blessés dans l'embuscade. On a envoyé Coco à Florida avec Camba, León et Julio pour voir ce qui s'y passe et pour acheter ce qu'ils y trouveront. Coco est revenu à 4 heures avec quelques vivres et un certain Melgar, propriétaire de deux de nos chevaux, qui s'est mis à notre disposition et apportait un compte rendu détaillé et un peu fantaisiste dont on peut tirer l'essentiel : 4 jours après notre départ on a découvert le cadavre de Tuma, dévoré par les bêtes ; l'armée ne s'est avancée que le lendemain du combat, après l'apparition du lieutenant nu ; on connaît l'opération de Sumaipata dans tous ses détails et on en rajoute, et elle donne lieu à des plaisanteries chez les paysans ; on a trouvé la pipe de Tuma et quelques affaires disséminées ; un major qui s'appelle Soperna avait l'air à moitié sympathisant ou admiratif à notre égard ; l'armée est arrivée jusqu'à la maison de Coca où Tuma était mort et de là elle est passée à Tejería, puis retournée à Florida. Coco pensait utiliser cet homme pour porter une lettre, mais il m'a paru plus prudent de l'éprouver d'abord en l'envoyant acheter quelques médicaments. Ce Melgar nous a parlé d'un groupe qui vient par ici, où il y a une femme, et nous a dit qu'il l'avait appris par une lettre du maire de Río Grande à celui d'ici ; comme il se trouve sur le chemin de Florida nous avons envoyé Inti, Coco et Julio lui parler. Il a démenti qu'il ait eu des nouvelles d'autres groupes, mais dans l'ensemble il a confirmé les déclarations de Melgar. Nous avons passé une très mauvaise nuit faute d'eau. La radio a annoncé l'identification du cadavre du guérillero qui serait Moisés Guevara, mais Ovando, dans une conférence de presse, a été très prudent à ce sujet et il a rejeté la responsabilité de l'identification sur le ministère de l'Intérieur. Il n'est pas exclu que tout ça ne soit qu'une blague et que la prétendue identification soit une invention.

h = 680 m.

21

Nous avons passé une journée calme. On a parlé avec le vieux Coca de la vache qu'il nous avait vendue alors qu'elle n'était pas à lui ; il a dit ensuite qu'on ne la lui avait pas payée, mais il a refusé avec force protestations d'admettre qu'elle ne lui appartenait pas ; nous l'avons sommé de la payer. Dans la soirée nous sommes allés à Tejeria, où nous avons acheté un porc et du chankaka[3]. Inti, Benigno et Aniceto qui sont allés faire les achats ont été très bien reçus.

22

Nous sommes partis de bonne heure, très chargés, hommes et bêtes, avec l'intention de dérouter tout le monde sur la réalité de notre présence. Nous avons laissé le chemin qui conduit à Moroco et nous avons pris celui du lac. A un ou deux kilomètres au sud. Malheureusement nous ne connaissions pas ce qui venait après et nous avons dû envoyer des éclaireurs ; dans l'intervalle, nous avons aperçu Mancilla et le petit Paniagua au bord du lac qui faisaient paître des bêtes. Nous leur avions recommandé de ne rien dire mais maintenant la situation est différente. Nous avons marché environ deux heures et nous avons dormi auprès d'un tor-

3. Pain de sucre. (N.d.Ed.).

rent d'où partent deux sentiers, l'un vers le sud-est, qui suit son cours, et un autre moins bien marqué vers le sud.

La radio annonce que la femme de Bustos (Pelao) confirme qu'elle m'a vu ici, mais elle dit qu'elle est venue avec d'autres intentions.

h = 640 m.

23

Nous sommes restés dans le campement pendant que des hommes allaient reconnaître les deux chemins possibles. L'un d'eux conduit au Río Seco, à un endroit où il a déjà reçu les eaux du Piray et où le sable ne les absorbe pas encore, c'est-à-dire entre notre embuscade et Florida ; l'autre conduit à une tapera abandonnée à 2 ou 3 heures de route, et d'après Miguel qui a fait la reconnaissance on peut aller de là au Rosita. Demain nous prendrons ce chemin qui peut être un de ceux de Melgar, d'après les histoires que celui-ci a racontées à Coco et à Julio.

24

Nous avons fait environ 3 heures de marche en suivant le sentier repéré, qui nous a fait changer d'altitude et passer de 1 000 m à 940 m où nous avons campé, au bord d'un torrent. Les chemins s'arrêtent ici et toute la journée de demain doit être consacrée à la recherche de la meilleure issue. Il y a ici plusieurs chacos en activité qui indiquent qu'ils se rattachent à Florida ; c'est peut-être l'endroit qui s'appelle Canalones. Nous essayons de déchiffrer un long message de Manila.

Raúl a parlé à la promotion d'officiers de l'école Máximo Gómez et, entre autres, il a réfuté les commentaires des Tchèques sur l'article des Vietnam. Les amis m'appellent un nouveau Bakounine et se plaignent du sang versé, et de celui qui serait versé au cas où il y aurait 3 ou 4 Vietnam.

25

Nous avons passé une journée de repos et nous avons envoyé 3 groupes de 2 hommes reconnaître divers endroits ; Coco, Benigno et Miguel en ont été chargés. Coco et Benigno ont abouti au même endroit et de là on peut prendre le chemin de Moroco. Miguel a signalé avec certitude que le torrent donne sur le Rosita et qu'on peut l'emprunter bien qu'il faille s'ouvrir le chemin au machete.

On a signalé deux opérations, l'une à Taperas et l'autre à San Juan del Potrero, qui ne peuvent pas avoir été réalisées par le même groupe ; la question se pose donc de son existence réelle ou de la véracité des faits.

26

Benigno, Camba et Urbano ont été chargés de faire un chemin dans le torrent dans le sens contraire à Moroco, le reste du groupe est resté au campement et le centre a fait une embuscade à l'arrière. Rien de spécial.

Les nouvelles de l'opération de San Juan del Potrero ont été diffusées par les radios étrangères avec des tas de détails : capture de 15 soldats et d'un colonel, dépouillés puis relâchés ; notre technique. L'endroit se trouve de l'autre côté de la route carrossable Cochabamba-Santa Cruz.

Dans la soirée j'ai fait une petite causerie sur la signification du 26 juillet ; rébellion contre les oligarchies et contre les dogmes révolutionnaires. Fidel a fait une petite mention de la Bolivie.

27

Tout était prêt pour le départ et les hommes de l'embuscade avaient reçu l'ordre de partir automatiquement à 11 heures, lorsque Willy est arrivé, quelques minutes avant 11 heures, annonçant que l'armée était là ; Willy lui-même, Ricardo, Inti, Chino, León, et Eustaquio sont allés vers elle et ont réalisé l'opération avec Antonio, Arturo et Chapaco. Voici comment les choses se sont passées : 8 soldats sont apparus sur la crête ; ils ont marché vers le sud en suivant un ancien petit chemin et sont repartis en tirant quelques coups de mortier et en faisant des signaux avec un bout de tissu. A un certain moment on a entendu appeler un certain Melgar, qui pourrait être celui de Florida. Après s'être reposés un moment, les 8 jeunes soldats ont commencé à marcher vers l'embuscade. 4 seulement y sont tombés, car les autres venaient un peu reposés ; il y a 3 morts certains et un quatrième probable, mais en tout cas blessé. Nous nous sommes retirés sans leur prendre leurs armes ni leur équipement car il était difficile de les récupérer, et nous sommes partis vers l'aval. Après un embranchement avec une autre petite gorge nous avons tendu une autre embuscade ; les chevaux ont avancé jusque là où arrive le chemin.

L'asthme m'a durement atteint et les rares calmants s'épuisent.

h = 800 m.

28

Coco a été envoyé avec Pacho, Raúl et Aniceto pour reconnaître l'embouchure de la rivière que nous pensons être le Suspiro. Nous avons peu marché, en nous ouvrant un chemin dans une gorge assez étroite. Nous avons campé séparé de l'avant-garde, car Miguel est allé trop loin pour les chevaux qui s'enfoncent dans le sable et ont du mal à marcher dans les cailloux.

h = 760 m.

29

Nous avons continué à marcher dans une gorge qui descend vers le sud avec de bons abris sur les bords dans une zone où il y a pas mal d'eau. A 16 heures environ nous avons rencontré Pablito qui nous a dit que nous nous trouvions à l'embouchure du Suspiro, rien de spécial ; j'avais cru un moment que cette gorge n'était pas celle du Suspiro parce qu'elle gardait une direction constante vers le sud, mais au dernier détour elle a viré vers l'ouest et débouché sur le Rosita. A 16 h 30 environ l'arrière-garde est arrivée et j'ai décidé de continuer le voyage pour nous éloigner de l'embouchure ; mais je n'ai pas eu le courage d'exiger l'effort nécessaire pour dépasser le chaco de Paulino et nous avons campé au bord du chemin, à une heure de marche de l'embouchure du Suspiro. Dans la soirée j'ai donné la parole à El Chino pour qu'il parle du jour de l'indépendance de sa patrie, le 28 juillet, et j'ai expliqué ensuite pourquoi ce campement était mal situé, en donnant l'ordre de se lever à 5 heures et de partir occuper le chaco de Paulino.

Radio La Havane a annoncé une embuscade dans laquelle sont tombés quelques effectifs de l'armée qui ont été évacués par hélicoptère, mais on entendait mal.

30

L'asthme m'a passablement oppressé et j'ai passé toute la nuit éveillé. A 4 h 30, tandis que Moro faisait le café, il a prévenu qu'il voyait une lanterne qui traversait la rivière ; Miguel qui était éveillé pour prendre le tour de garde et Moro sont allés arrêter les arrivants. De la cuisine j'ai entendu le dialogue : Hé ! qui va là ?

— Détachement Trinidad. Et immédiatement la fusillade. Aussitôt Miguel rapportait un M-1 et une cartouchière d'un blessé, en annonçant qu'il y avait 21 hommes qui marchaient vers Abapó et qu'à Moroco ils étaient 150. Nous leur avons causé d'autres pertes qu'on n'a pas très bien pu préciser dans la confusion qui régnait. Il a fallu beaucoup de temps pour charger les chevaux et el Negro s'est perdu avec la hache et le mortier qu'il avait pris à l'ennemi. Il était déjà près de 6 heures et on a encore perdu du temps parce que des chargements sont tombés. Si bien qu'aux derniers passages nous étions toujours sous le feu des soldats qui s'étaient enhardis. La sœur de Paulino était chez elle et elle nous a reçus très tranquillement en nous disant que tous les hommes de Moroco avaient été arrêtés et se trouvaient à La Paz.

J'ai pressé les hommes et je suis allé avec Pombo, à nouveau sous le feu, à la gorge de la rivière où se termine le chemin et où on peut donc organiser la résistance. J'ai envoyé Miguel avec Coco et Julio prendre les devants tandis que je poussais les chevaux. Il restait pour couvrir la retraite 7 hommes de l'avant-garde, 4 de l'arrière-garde et Ricardo, qui est resté en arrière pour renforcer la défense. Benigno était sur la droite avec Dario, Pablo et Camba ; les autres venaient sur la gauche. Je venais de donner l'ordre de faire halte au premier endroit convenable quand Camba est venu annoncer que Ricardo et Aniceto étaient tombés en traversant la rivière ; j'ai envoyé Urbano, Nato et León avec deux chevaux et j'ai envoyé chercher Miguel et Julio, laissant Coco en sentinelle à l'avant. Miguel et Julio ont traversé sans recevoir d'instructions, et peu après Camba est revenu dire qu'il avait été surpris avec Miguel et Julio, que les soldats avaient beaucoup avancé, et que Miguel avait reculé et attendait des instructions. J'ai renvoyé Camba avec Eustaquio et nous sommes restés, Inti, Pombo, Chino et moi. A 13 heures j'ai envoyé chercher Miguel en laissant Julio de garde, et je me suis retiré avec le groupe d'hommes et les chevaux. Quand nous sommes arrivés à la hauteur de Coco posté en sentinelle, nous avons appris que tous les survivants s'étaient montrés ; Raúl était mort, Ricardo et Pacho étaient blessés. Les choses se sont passées ainsi : Ricardo et Aniceto ont traversé imprudemment à découvert et le premier a été blessé. Antonio a organisé une ligne de feu et Arturo, Aniceto et Pacho sont allés le chercher ; mais Pacho a été blessé et Raúl est mort d'une balle dans la bouche. La retraite s'est faite laborieusement, en traînant les deux blessés, et Willi et Chapaco[1] n'ont guère aidé, surtout ce dernier. Ils ont été rejoints ensuite par Urbano et son groupe avec les chevaux, et par Benigno et ses hommes, de sorte que l'autre aile est restée dégarnie et que c'est par là que les soldats ont avancé et ont surpris Miguel. Après une marche pénible dans les broussailles ils sont arrivés à la rivière et nous ont rejoints. Pacho venait à cheval, mais Ricardo ne pouvait pas monter et il a fallu l'apporter en hamac. J'ai envoyé Miguel, Pablito, Dario, Coco et Aniceto occuper l'embouchure du premier torrent, sur la rive droite, tandis que nous soignions les blessés. Pacho a une blessure superficielle qui lui traverse les cuisses et la peau des testicules, mais Ricardo était très gravement atteint et nous avions perdu ce qui restait de plasma avec le sac de Willi. A 22 heures Ricardo est mort et nous l'avons enterré près de la rivière, dans un endroit bien caché, pour que les soldats ne le trouvent pas.

1. Apparaît ailleurs sous le nom de Luis. (N.d.Ed.).

31

A 4 heures nous sommes partis par la rivière et après avoir franchi un chemin de traverse nous sommes descendus vers l'aval sans laisser de traces ; nous sommes arrivés dans la matinée au torrent où Miguel était en embuscade ; il n'avait pas compris l'ordre et il a laissé des traces. Nous avons fait environ 4 kilomètres vers l'amont et nous sommes entrés dans les bois, en effaçant nos traces ; nous avons campé près d'un affluent du torrent. Dans la soirée j'ai expliqué les erreurs de l'opération : 1°) Campement mal situé ; 2°) mauvaise utilisation du temps, ce qui a permis aux autres de tirer sur nous ; 3°) confiance excessive qui a fait blesser Ricardo puis Raul quand il est allé à son secours ; 4°) manque de décision pour sauver toutes les affaires. On a perdu 11 sacs avec des médicaments, des jumelles et certains objets compromettants tels que le magnétophone sur lequel sont enregistrés les messages de Manila, le livre de Debray que j'ai annoté, et un livre de Trotsky ; sans parler de l'importance politique de cette prise pour le gouvernement, ni de la confiance qu'en retireront les soldats. Nous avons calculé qu'ils avaient 2 morts et 5 blessés, mais il y a deux versions contradictoires : une, celle de l'armée, déclare 4 morts et 4 blessés le 28, une autre du Chili parle de 6 blessés et 3 morts le 30. L'armée a donné ensuite un autre communiqué disant qu'elle a pris un cadavre et qu'un sous-lieutenant est hors de danger.

Parmi nos morts, on ne peut pas dire grand-chose de Raúl tant il était renfermé ; il était peu combatif et peu travailleur, mais on voyait qu'il s'intéressait toujours aux problèmes politiques, même s'il ne posait jamais de questions. Ricardo était le plus indiscipliné du groupe cubain et celui qui avait le moins d'esprit de décision face au sacrifice quotidien ; mais c'était un combattant extraordinaire et un vieux camarade d'aventures, lors du premier échec du Second Front, au Congo, et maintenant ici. C'est une autre perte lourde en raison de la qualité de l'homme. Nous sommes 22, dont deux blessés, Pacho et Pombo, et moi avec un asthme à tout casser.

ANALYSE DU MOIS

Les points négatifs du mois dernier subsistent. A savoir : impossibilité de contact avec Joaquín et avec l'extérieur, et pertes d'hommes ; nous sommes maitenant 22, dont 3 infirmes (dont moi) ce qui réduit notre mobilité. Nous avons eu 3 rencontres, en comptant la prise de Sumaipata, ce qui a entraîné dans l'armée environ 7 morts et 10 blessés, chiffres approximatifs d'après des communiqués confus. Nous, nous avons perdu 2 hommes et avons eu un blessé.

Les caractéristiques les plus importantes sont :

1°) L'absence totale de contact continue.

2°) On ressent toujours l'absence de recrues paysannes, malgré quelques signes encourageants dans la façon dont nous avons été reçus par de vieux paysans connus.

3°) La légende des guérillas prend des dimensions continentales ; Onganía ferme les frontières et le Pérou prend ses précautions.

4°) La tentative de contact par l'intermédiaire de Paulino échoue.

5°) Le moral et l'expérience de lutte de la guérilla s'élève à chaque combat ; Camba et Chapaco restent mous.

6°) L'armée continue à se tromper toujours, mais il y a des unités qui ont l'air très combatives.

7°) La crise politique s'accentue dans le gouvernement, mais les Etats-Unis accordent de petits crédits qui représentent une grande aide pour la Bolivie, et qui permettent d'atténuer le mécontentement.

Les tâches les plus urgentes sont : rétablir les contacts, incorporer des combattants et obtenir des médicaments.

Août 1967

1er

Jour calme ; Miguel et Camba ont commencé à faire le chemin mais ils n'ont fait qu'un peu plus d'un kilomètre en raison des difficultés que présentent le terrain et la végétation. Nous avons tué un poulain sauvage qui devrait nous faire de la viande pour 5-6 jours. On a creusé des tranchées pour tendre une embuscade à l'Armée si elle venait par ici. L'idée est de les laisser passer s'ils viennent demain ou après-demain et ne découvrent pas le campement et de tirer dessus ensuite.

h = 650 ms.

2

Le chemin semble avoir bien avancé grâce à Benigno et à Pablo qui l'ont continué. Ils ont mis presque deux heures à revenir au campement en partant du point où ils étaient arrivés. On ne donne plus de nos nouvelles à la radio, depuis qu'ils ont annoncé le transport du cadavre d'un « anti-social ».. L'asthme m'a secoué très durement et j'ai épuisé la dernière piqûre, il ne me reste plus que des tablettes pour environ 10 jours.

3

Le chemin a été finalement un fiasco ; Miguel et Urbano ont mis 57 minutes pour revenir aujourd'hui ; on avance très lentement. Aucune nouvelle. Pacho se remet bien, moi, par contre, je vais mal : le jour et la nuit ont été durs pour moi et je ne vois pas d'issue de sitôt. J'ai essayé la piqûre intraveineuse de novocaïne sans résultat.

4

Les hommes sont arrivés à un cañon qui se dirige vers le sud-ouest et il se pourrait bien qu'il se jette dans les torrents qui vont au Río Grande. Demain quatre hommes iront débroussailler par équipes de deux et Miguel montera de notre côté voir quelque chose qui a l'air d'être des chacos abandonnés. Mon asthme va un peu mieux.

5

Benigno, Camba, Urbano et León se sont divisés en équipes de deux pour avancer, mais ils ont abouti à un torrent qui se jette dans le Rosita et ont continué aujourd'hui à travers champs. Miguel est allé voir le chaco mais il ne l'a pas trouvé. On a fini la viande de cheval. Demain nous essaierons de pêcher quelque chose et après-demain nous sacrifierons un autre animal. Demain nous avancerons jusqu'au point d'eau. Mon asthme a été implacable ; bien que j'aie horreur de la séparation, je vais devoir envoyer un groupe en avant ; Benigno et Julio se sont proposés comme volontaires ; il faut voir dans quelles dispositions sera Nato.

6

On a fait le transfert du campement ; malheureusement, il ne s'agissait pas de trois heures de marche mais d'une heure ce qui indique que nous sommes encore loin. Benigno, Urbano, Camba et Leon ont continué à jouer du machete tandis que Miguel et Aniceto partaient explorer le nouveau torrent jusqu'à l'endroit où il se jette dans le Rosita. Dans la soirée ils n'étaient pas revenus aussi avons-nous pris des précautions, d'autant plus que j'avais entendu comme un tir de mortier au loin. Inti, Chapaco et moi ensuite avons prononcé quelques mots au sujet de la journée d'aujourd'hui, anniversaire de l'Indépendance de la Bolivie.

h = 720.

7

A 11 heures du matin, considérant que Miguel et Aniceto s'étaient perdus, j'ai ordonné à Benigno d'avancer avec beaucoup de précautions jusqu'à l'endroit où le torrent se jette dans le Rosita et de chercher un peu quelle direction ils avaient pu prendre, si toutefois ils étaient arrivés jusque là. Mais à 13 heures ceux que nous pensions perdus ont fait leur apparition : ils avaient tout simplement eu des difficultés en chemin et ils avaient passé la nuit sans pouvoir arriver au Rosita. C'est un mauvais quart d'heure que Miguel m'a fait passer là. Nous sommes restés où nous étions mais les débroussailleurs ont trouvé un autre torrent et nous allons nous y transporter demain. Anselmo, le vieux cheval est mort aujourd'hui et il ne nous en reste plus qu'un pour porter les charges ; mon asthme ne s'améliore pas, mais les médicaments s'épuisent. Demain je prendrai une décision en ce qui concerne l'envoi d'un groupe au Nacahuazu.

Aujourd'hui il y a exactement 9 mois que nous sommes arrivés ici et que la guérilla s'est constituée. Des 6 premiers, deux sont morts, un disparu et deux blessés ; moi, avec mon asthme que je ne sais pas comment arrêter.

8

Nous avons marché à peu près une bonne heure, ce qui en a fait deux pour moi car la petite jument était fatiguée ; à un moment, je lui ai donné un coup de couteau au col qui l'a sérieusement blessée. Le nouveau campement doit être le dernier avec de l'eau jusqu'au Rosita ou au Río Grande ; les macheteros sont à 40 minutes d'ici (2-3 kms). J'ai désigné un groupe de 8 hommes pour accomplir la mission suivante : ils partiront demain d'ici, ils marcheront toute la journée ; le lendemain, Camba reviendra apporter les nouvelles de ce qui se passe ; le jour d'après c'est Pablito et Dario qui reviendront avec les nouvelles du jour ; les 5 autres continueront jusque chez Vargas et de là c'est Coco et Aniceto qui reviendront dire comment vont les choses ; Benigno, Julio et Nato continueront jusqu'au Nacahuazu pour aller chercher mes médicaments. Ils doivent avancer avec beaucoup de précautions pour éviter les embuscades ; nous, nous les suivrons et les points de jonction sont : la maison de Vargas ou plus haut, selon notre rapidité, le torrent qui se trouve en face de la cave, sur le Río Grande, le Masicuri (Honorato) ou le Nacahuazu. Il y a des nouvelles de l'armée c'est-à-dire qu'on a appris qu'ils avaient découvert un dépôt d'armes dans un de nos campements. Dans la soirée j'ai réuni tout le monde et j'ai fait la mise au point suivante : Nous sommes dans une situation difficile ; Pacho se remet, mais moi je suis un déchet humain et l'histoire de la petite jument prouve qu'à certains moments j'arrive à perdre le contrôle de moi ; cela s'arrangera mais la situation doit être aussi pesante pour les uns que pour les autres et il faut que ceux qui ne se sentent pas capables de le supporter le disent. Nous en sommes à un moment où il faut prendre de grandes décisions ; ce genre de lutte nous permet de devenir des révolutionnaires, échelon le plus élevé de l'espèce humaine, mais il nous permet aussi de devenir des hommes ; ceux qui ne se sentent pas capables de parvenir à aucun de ces stades doivent le dire et abandonner la lutte. Tous les Cubains et quelques Boliviens ont déclaré qu'ils continueraient jusqu'au bout ; Eustaquio a fait de même mais a émis une critique en ce qui concerne Muganga parce qu'il charge son sac à dos sur le mulet au lieu de charger le bois, ce qui a provoqué une réponse furieuse de la part de ce dernier ; Julio a critiqué Moro et Pacho pour des raisons du même genre ce qui a provoqué une nouvelle réponse furieuse, cette fois de Pacho. J'ai clos la discussion en déclarant qu'ici on était en train de débattre deux problèmes d'un niveau très différent : d'une part, savoir si on était disposé ou pas à continuer ; de l'autre, des petites querelles ou des problèmes intérieurs de la guérilla qui enlevaient de sa grandeur à la décision majeure.

Je n'ai pas aimé les remarques d'Eustaquio et de Julio, mais pas non plus les réponses de Moro et Pacho, en définitive il faut être plus révolutionnaire et servir d'exemple.

9

Les 8 explorateurs sont partis ce matin. Les macheteros, Miguel, Urbano et Leon se sont éloignés du campement 50 minutes plus tard. On m'a ouvert un anthrax au talon, ce qui me permet de poser le pied, mais il me fait encore très mal et j'ai encore la fièvre. Pacho, très bien.

h = 780.

10

Antonio et Chapaco sont allés à la chasse vers l'arrière et ont ramené une biche et une paonne sauvage ; ils ont été voir le premier campement, où il n'y a rien de nouveau et ils ont rapporté une cargaison d'oranges. J'en ai mangé deux et cela m'a immédiatement provoqué une crise d'asthme, mais pas trop forte. A 13 h 30 est arrivé Camba, un des 8 avec les nouvelles suivantes : hier ils ont dormi sans eau et aujourd'hui ils ont continué à marcher jusqu'à 9 h. sans en trouver. Benigno a reconnu l'endroit et va se lancer dans la direction du Rosita pour trouver de l'eau. Pablo et Dario ne reviendront que s'ils trouvent de l'eau.

Long discours de Fidel dans lequel il peste contre les partis traditionnels et surtout contre celui du Vénézuela ; il y a dû avoir des heurts violents dans les coulisses. On a recommencé à me soigner le pied ; je vais mieux, mais je ne suis pas encore bien. Avec tout ça nous devons partir demain pour rapprocher notre base des macheteros qui n'ont avancé que de 35 minutes dans toute la journée.

11

Les débroussailleurs avancent très lentement. A 16 heures Pablo et Dario sont arrivés avec une note de Benigno qui annonce qu'il est près du Rosita et qu'il compte trois jours pour arriver chez Vargas. Pablito est parti à 8 h 15 du point d'eau où ils ont passé la nuit et à 15 heures environ il a rencontré Miguel, ce qui prouve qu'on n'est pas près d'arriver. Il semble que la paonne ne me réussisse pas pour l'asthme car cela m'a provoqué une petite crise et j'ai donné ma part à Pacho. Nous changeons de campement pour aller nous installer près d'un petit torrent qui disparait à midi et réapparait à minuit. Il a plu et il ne fait pas froid, beaucoup de mariguis.

h = 740 m.

12

Jour gris. Les macheteros avancent peu. Ici, il n'y a rien eu de nouveau et pas beaucoup de nourriture ; demain nous allons sacrifier encore un cheval qui devra nous faire 6 jours. Mon asthme est stationnaire, à un degré supportable. Barrientos a annoncé le déclin des guérilleros et a recommencé à lancer des menaces d'une intervention contre Cuba ; il a été aussi stupide que d'habitude.

La radio a annoncé un combat près de Monteagudo ayant eu pour résultat un mort de notre côté : Antonio Fernandez, de Tarata. Cela ressemble assez au véritable nom de Pedro qui est de Tarata.

13

Miguel, Urbano, León et Camba sont allés camper au point d'eau découvert par Benigno et continuer à partir de là. Ils ont emporté à manger pour trois jours, c'est-à-dire des morceaux du cheval de Pacho, sacrifié aujourd'hui. Il reste 4 bêtes et tout semble indiquer qu'il faudra en sacrifier encore une avant de pouvoir arriver à la nourriture. Si tout a bien marché, Coco et Aniceto doivent arriver ici demain. Arturo a chassé deux paonnes qui m'ont été adjugées étant donné qu'il ne reste déjà presque plus de maïs. Chapaco donne des preuves croissantes de déséquilibre. Pacho se remet à un bon rythme et mon asthme a tendance à augmenter depuis hier ; je prends maintenant trois tablettes par jour. Mon pied est presque guéri.

14

Jour noir. Gris en ce qui concerne les activités. Aucune nouveauté mais dans la soirée en écoutant les informations nous avons appris la prise de la cave vers laquelle se dirigeaient les envoyés avec des indications tellement précises qu'il ne reste aucun doute. Aujourd'hui je suis condamné à souffrir d'asthme à cause d'un temps bizarre. Ils nous ont aussi pris des documents de toutes sortes et des photographies. C'est le coup le plus dur qu'ils nous aient porté ; quelqu'un a dû parler. Qui ? C'est le mystère.

15

De bonne heure j'ai envoyé Pablito avec un message pour Miguel pour qu'il envoie deux hommes à la recherche de Benigno, au cas où Coco et Aniceto ne seraient pas encore revenus, mais il les a rencontrés en route et ils sont revenus tous les trois. Miguel me faisait dire qu'il allait rester là où la nuit le surprendrait et qu'on lui envoie un peu d'eau. On a envoyé Dario en l'avertissant que demain nous partirions de bonne heure, de toute façon, mais il a rencontré à ce moment-là Léon qui venait annoncer que le chemin était terminé.

Une radio de Santa-Cruz a annoncé, en passant, que l'armée avait fait deux prisonniers du groupe de Muyupampa. Il n'y a plus de doute maintenant, il s'agit du groupe de Joaquin, et il doit être maintenant très traqué, et les deux prisonniers ont parlé. Il a fait froid mais je n'ai pas passé une mauvaise nuit ; il va falloir m'ouvrir un autre abcès au même pied. Pacho est déclaré guéri. On a annoncé une autre rencontre à Chuyuyako, sans perte pour l'armée.

16

Nous avons fait 3 h 40 de marche effective et une heure de repos sur un chemin relativement bon ; la mule m'a proprement jeté par terre en se piquant à un bout de bois, mais je ne me suis fait aucun mal ; le pied va mieux. Miguel, Urbano et Camba ont continué à dégager le chemin au machete et sont arrivés au Rosita. C'est aujourd'hui que Benigno et ses compagnons devaient arriver à la cave et les avions ont survolé la zone à plusieurs reprises. Il se peut que ce soit à cause de quelques traces qu'ils ont pu laisser près de Vargas ou parce que qu'il y a une troupe qui est en train de descendre le long du Rosita ou du Río Grande. Dans la soirée j'ai prévenu les hommes du danger de la traversée et on a pris des précautions pour demain.

h = 600.

17

Nous sommes partis de bonne heure et nous sommes arrivés à 9 h. au Rosita. Là, Coco a cru entendre deux coups de feu et on a laissé une embuscade, mais il n'y a rien eu de nouveau. Le reste du chemin a été lent parce qu'on s'est continuellement perdu et trompé, pour arriver finalement au Río Grande à 16 h. 30 et y camper. J'avais l'intention de continuer à la faveur de la lune mais les gens étaient très fatigués. Il nous reste de la viande de cheval pour deux jours, en la rationnant ; pour moi, du mote pour un jour. Il faudra, selon toutes les apparences sacrifier un autre animal. La radio a annoncé qu'elle présenterait des documents et des preuves des 4 caves de Nacahuazu, ce qui indique que la cave des singes a aussi été prise. Je ne souffre pas trop de l'asthme étant donné les circonstances.

h = 640 m. (illogique si l'on considère que nous étions hier à 600).

18

Nous sommes partis plus tôt que d'habitude, mais il a fallu passer quatre gués, l'un d'eux un peu profond et par endroits faire des sentiers. En raison de tout cela nous sommes arrivés à 14 h. au torrent et les gens, morts de fatigue se sont reposés. Il n'y a plus eu d'activité. Il y a des nuages de nibarigüis[1] dans le coin et il continue à faire froid la nuit. Inti m'a dit que Camba voulait s'en aller ; d'après lui, les conditions physiques dans lesquelles il se trouve ne lui permettent pas de continuer, en outre, il ne voit pas bien les perspectives de la lutte. Naturellement, c'est un cas typique de lâcheté et ce serait une mesure d'assainissement que de le laisser partir, mais pour l'instant, il connaît notre prochaine route qui doit nous permettre de rejoindre Joaquín et il ne peut pas s'en aller. Demain, je parlerai avec lui et avec Chapaco.

h = 680.

19

Miguel, Coco, Inti et Aniceto sont partis en reconnaissance pour essayer de trouver le meilleur chemin pour Vargas où il semble y avoir un détachement, mais il n'y a rien de nouveau et il semble qu'il va falloir que nous continuions par le vieux sentier. Arturo et Chapaco sont allés à la chasse et ils ont tué une biche et Arturo a aussi, pendant qu'il était de garde avec Urbano, tué un tapir ce qui a créé une tension au campement car il a tiré sept coups de feu. L'animal nous fournira de la viande pour 4 jours, la biche, un jour et il y a une réserve de haricots et de sardines ; total, six jours. On dirait que le cheval blanc, le suivant de la liste, a des chances de sauver sa peau. J'ai parlé avec

1. Variétés de petits moustiques.

Camba et lui ai dit qu'il ne pourrait pas partir avant que notre prochaine étape, la jonction avec Joaquin, ne soit définie. Chapaco a déclaré qu'il ne s'en irait pas car ce serait une lâcheté, mais qu'il voudrait pouvoir envisager l'espoir de partir d'ici six mois un an ; cet espoir je le lui ai donné, il a parlé d'un tas de choses incohérentes. Il ne va pas bien.

Les nouvelles sont pleines de Debray, on ne parle même pas des autres accusés. Aucune nouvelle de Benigno ; il pourrait déjà être arrivé.

20

Les macheteros, Miguel et Urbano, plus les « travaux publics », Willy et Dario, n'avancent pas beaucoup aussi avons-nous décidé de rester ici même encore une journée. Coco et Inti n'ont rien chassé, mais Chapaco a chassé une biche et un singe. J'ai mangé de la biche et dans la nuit j'ai eu une forte crise d'asthme. Le Médecin est toujours malade, ça a l'air d'être un lumbago qui atteint son état général et en fait un invalide. Il n'y a pas de nouvelle de Benigno. A partir de maintenant, il va falloir s'en préoccuper.

La radio annonce la présence de guérilleros à 85 kilomètres de Sucre.

21

Encore un jour au même endroit sans nouvelle de Benigno et de ses compagnons. On a chassé 5 singes ; 4 ont été tués par Eustaquio à la chasse, et 1 par Moro, au passage : celui-ci continue à souffrir de son lumbago et on lui a administré une meperidine. La biche ne me réussit pas pour l'asthme.

22

Enfin nous sommes partis, mais avant, il y a eu une alarme parce qu'on avait vu un homme qui semblait fuir sur la plage : il s'agissait d'Urbano qui s'était perdu. J'ai fait au Médecin une anesthésie locale et ainsi il a pu voyager, sur la jument, bien qu'encore très endolori ; il a l'air d'aller un peu mieux ; Pacho a fait le chemin à pied.

Nous avons fait un campement sur la rive droite et il ne manque plus que quelques coups de machete pour arriver chez Vargas ; il nous reste de la viande de tapir pour demain et après-demain et à partir de demain on ne pourra pas chasser. Il n'y a pas de nouvelles de Benigno, il y a 10 jours que Coco et lui se sont séparés.

h = 580 m.

23

La journée a été très pénible, car il a fallu longer un pan de rocher très mauvais ; le cheval blanc a refusé de continuer et on l'a abandonné, enfoncé dans la boue, sans en tirer aucun profit. Nous sommes arrivés à une petite cabane de chasseurs avec des traces prouvant qu'elle avait été récemment habitée, nous nous sommes mis en embuscade et peu de temps après deux hommes y sont tombés. Ils prétendent qu'ils ont dix pièges posés et qu'ils sont allés les vérifier ; d'après eux l'armée est dans la maison de Vargas, à Tatarenda, à Caraguatarenda, à Ipita et à Yumon, et il y a deux jours, il y a eu une rencontre à Caraguatarenda au cours de laquelle un militaire a été blessé. Il s'agit peut-être de Benigno aux prises avec la faim ou l'encerclement. Les hommes ont annoncé que demain l'armée viendrait pêcher, ils viennent par groupes de 10-20 hommes. On a distribué du tapir et quelques poissons qu'ils avaient tués à la dynamite, moi j'ai mangé du riz, qui m'a très bien réussi ; le Médecin va un peu mieux. On a annoncé que le jugement de Debray était repoussé au mois de septembre.

h = 580 m.

24

On a sonné la diane à 5h 30 et nous nous sommes dirigés vers la gorge que nous avions l'intention de suivre. L'avant-garde a ouvert la marche et avait déjà parcouru quelques mètres quand sont apparus de l'autre côté 3 paysans, on a appelé Miguel, et tout le monde s'est mis en embuscade, 8 soldats arrivaient. Les ordres étaient de les laisser traverser par le gué qui est en face et de tirer quand ils seraient en train d'arriver, mais les soldats n'ont pas traversé ; ils se sont contentés de faire quelques tours et ils sont passés à portée de nos fusils sans que nous leur tirions dessus. Les civils prisonniers prétendent être de simples chasseurs. On a envoyé Miguel et Urbano, avec Camba et Dario et Hugo Guzman, le chasseur, pour qu'ils suivent un chemin qui se dirige vers l'ouest mais dont on ne sait pas où il finit. Nous, nous sommes restés en embuscade toute la journée. A la tombée de la nuit les macheteros sont revenus avec les animaux pris au piège, un condor et un chat sauvage pourri, tout a été avalé avec le reste de tapir ; il y a encore des haricots et ce qu'on pourra chasser.

Camba est en train d'arriver à l'extrême limite de la déchéance morale ; il tremble dès qu'il entend parler des soldats. Le Médecin continue à souffrir et se soigne au talamonal ; moi je vais assez bien mais j'ai terriblement faim.

L'armée a publié un communiqué annonçant qu'elle avait découvert une autre cave, qu'il y a de son côté deux soldats légèrement blessés et « des pertes du côté des guérilleros ». Radio La Havane annonce qu'il y aurait eu un combat à Taperillas avec un blessé du côté de l'armée, mais ne confirme pas la nouvelle.

25

La journée s'est passée sans que rien de nouveau ne se produise. La diane a été sonnée à 5 heures et les macheteros sont partis de bonne heure ; l'Armée, 7 hommes, est arrivée à quelques pas de nos positions, mais les hommes n'ont pas essayé de traverser. Ils ont eu l'air d'appeler les chasseurs à coup de feu ; demain nous les attaquerons, si l'occasion se présente. Le chemin n'avance pas, aussi Miguel a-t-il envoyé Urbano pour demander conseil, mais celui-ci a mal transmis et à une heure où on ne pouvait rien faire.

La radio a annoncé un combat au mont Dorado qui semble relever de Joaquín, et la présence de guérilleros à 3 kms de Camiri.

26

Tout a mal tourné : Les 7 hommes sont arrivés mais ils se sont séparés, 5 vers le bas de la rivière, deux pour la traverser, Antonio qui était responsable de l'embuscade a tiré trop tôt et a raté son coup, cela a permis aux hommes de sortir à toute vitesse chercher du renfort ; les 5 autres se sont retirés à toute vitesse, en sautant et Inti et Coco leur sont tombés dessus mais ils se sont mis à l'abri et les ont repoussés. Pendant que j'observais la poursuite je me suis aperçu que des balles provenant de coups de feu tirés par les nôtres tombaient très près d'eux, je suis parti en courant et je me suis rendu compte que c'était Eustaquio qui tirait, car Antonio ne l'avait prévenu de rien. J'étais dans une telle colère que j'ai perdu tout contrôle et que j'ai maltraité Antonio.

Nous sommes partis à pas lents, car le Médecin n'est pas très d'attaque, pendant que l'armée, reprenant le dessus, avançait par l'île d'en face au nombre de 20-30 hommes ; ça ne valait pas la peine de les affronter. Il se pourrait qu'ils aient deux blessés, au plus. Coco et Inti se sont distingués par leur décision.

Tout a été bien jusqu'au moment où le Médecin s'est épuisé et a commencé à retarder notre marche. Nous nous sommes arrêtés à 18 h 30 sans avoir rejoint Miguel qui était pourtant à quelques mètres et qui s'est mis en contact avec nous. Moro est resté dans une gorge car il n'a pas réussi

à monter le dernier tronçon et nous avons dormi, séparés en trois groupes. Il n'y a pas de trace de poursuite.
h = 900 m.

27

Nous avons passé la journée à chercher désespérément une issue et le résultat n'est pas encore évident ; nous sommes près du Río Grande et nous avons déjà passé Yumon, mais il n'y a pas de nouveaux gués, d'après les renseignements, si bien qu'on pourrait aller là-bas, pour continuer par le rocher de Miguel, mais les mulets ne pourront pas passer. Il reste une possibilité, traverser une petite chaîne de montagnes et continuer ensuite vers Río Grande-Masicuri, mais nous ne saurons que demain si c'est faisable. Nous avons traversé des hauteurs de 1 300 mètres : ce sont à peu près les hauteurs maxima de la zone et nous avons passé la nuit à 1 240 mètres, il a fait assez froid. Je me sens très bien, mais le Médecin est assez mal en point et nous avons fini l'eau. Il en reste un peu pour lui.

La bonne nouvelle, ou l'événement heureux a été l'arrivée de Benigno, Nato et Julio. Ils ont eu toute une aventure, car il y a des soldats à Vargas et à Yumon et ils se sont presque heurtés à eux, ensuite ils ont suivi une troupe qui descendait le Saladillo et qui est remontée par le Nacahuazu et ils se sont aperçus que le torrent du Congri a trois chemins montants faits par les soldats. La cave de l'Ours où ils sont arrivés le 18, est un campement anti-guérillero où il y a quelque chose comme 150 soldats. Ils ont presque été surpris à cet endroit mais ils ont réussi à s'en aller sans être vus. Ils ont été dans le chaco du grand-père où ils ont trouvé des potirons, c'est tout ce qui reste car la ferme est abandonnée et ils sont passés à nouveau parmi les soldats, ils ont entendu nos coups de feu et ils ont passé la nuit dans les environs pour suivre ensuite nos traces jusqu'à ce qu'ils nous aient trouvés. D'après Benigno, Nato a été très bien mais Julio s'est perdu deux fois et il avait un peu peur des soldats. Benigno pense que quelques hommes de Joaquin ont dû passer par là il y a quelques jours.

28

Jour gris et un peu angoissant. Nous avons calmé notre soif avec des fruits de caracoré[3], tout au plus un pauvre trompe la soif. Miguel a envoyé Pablito seul avec un des chasseurs pour chercher de l'eau et qui plus est avec seulement un pauvre revolver. A 16 h 30 il n'était pas revenu et j'ai envoyé Coco et Aniceto à sa recherche ; ils ne sont pas

2. Figuier de Barbarie. (N.d.Ed.).

revenus de la nuit. L'arrière-garde est restée à l'endroit de la descente et on n'a pas pu écouter la radio ; il paraît qu'il y a eu un nouveau message. On a finalement sacrifié la petite jument, notre compagne depuis deux mois ; j'ai tout fait pour la sauver, mais on avait de plus en plus faim, du moins, maintenant on ne souffrira plus que de la soif. Il ne semble pas que nous puissions arriver à l'eau demain.

La radio annonce qu'un soldat a été blessé dans la zone de Tatarenda. L'inconnue pour moi est la suivante : Pourquoi, s'ils annoncent si scrupuleusement leurs pertes, mentiraient-ils sur d'autres points ? Et, s'ils ne mentent pas, qui donc sont ceux qui leur causent des pertes dans des endroits aussi isolés que Caraguatarenda et Taperillas ? A moins que Joaquin n'ait divisé ses hommes en deux groupes ou qu'il existe de nouveaux foyers indépendants.

h = 1 200 m.

29

Jour pénible et assez angoissant. Les macheteros avancent très peu et à un moment ils se sont trompés de route en croyant aller vers le Masicuri. Nous avons campé à 1 600 mètres d'altitude, dans un endroit relativement humide où pousse une espèce de petite canne dont la pulpe trompe la soif. Quelques camarades sont complètement démolis par le manque d'eau : Chapaco, Eustaquio, Chino. Demain il faudra essayer de voir quel est le point d'eau qui semble le plus proche. Les muletiers supportent assez bien.

A la radio, pas de grandes nouvelles ; on parle surtout du procès de Debray qui se prolonge, de semaine en semaine.

30

La situation commençait à devenir angoissante ; les macheteros ont été pris d'évanouissements, Miguel et Dario ont bu leur urine et el Chino a fait de même, avec des résultats néfastes, diarrhées et crampes. Urbano, Benigno et Julio sont descendus vers un cañon et ont trouvé de l'eau. Ils m'ont prévenu que les mulets ne pouvaient pas passer et j'ai décidé de rester avec Nato, mais Inti est remonté avec de l'eau et nous sommes restés tous les trois à manger de la jument. La radio était restée en bas de sorte que nous n'avons pas eu les nouvelles.

h = 1 200 m.

31

Dans la matinée Aniceto et Leon sont allés faire une reconnaissance en bas et sont revenus à 16 heures avec la nouvelle qu'il y avait un passage pour les mulets à partir du campement du point d'eau ; ce qui était moche c'était pour arriver jusque là, mais j'ai vu l'endroit et je pense que les bêtes peuvent y passer, aussi ai-je donné ordre à Miguel de nous faire faire demain un détour par le dernier rocher et de continuer à ouvrir un chemin et que nous nous chargerions de descendre avec les mulets.

Il y a un message de Manila mais on n'a pas pu le copier.

RESUME DU MOIS

Cela a été, sans aucun doute possible, le plus mauvais mois que nous ayions eu en ce qui concerne la guerre. La perte de toutes les caves avec les documents et les médicaments qui s'y trouvaient a été un coup dur, surtout sur le plan psychologique. La perte de deux hommes à la fin du mois et la marche qui a suivi à coup de viande de cheval a démoralisé les hommes. Et le premier cas d'abandon, celui de Camba, s'est posé, ce qui en soi est une bonne chose, mais pas dans ces circonstances. Le manque de contact avec l'extérieur et avec Joaquin et le fait que ceux de ses hommes qui ont été faits prisonniers aient parlé a aussi un peu démoralisé la troupe. Ma maladie a semé l'incertitude chez certains autres et tout cela se reflète dans la seule rencontre que nous avons eue, au cours de laquelle nous aurions dû causer des pertes à l'ennemi et où nous n'avons fait qu'un blessé. D'autre part, la marche difficile à travers des collines sans eau, a beaucoup fait ressortir certains traits négatifs des hommes.

Les caractéristiques les plus importantes sont :

1) Nous sommes toujours sans aucune espèce de contact et sans espoir d'en établir prochainement.

2) Nous n'avons toujours pas obtenu de participation des paysans, chose logique si l'on considère le peu de rapports que nous avons pu avoir avec eux ces derniers temps.

3) Le moral des combattants baisse, momentanément, j'espère.

4) L'Armée n'accroît pas son efficacité ni sa combativité.

Nous sommes à une période où notre moral baisse de même que notre légende révolutionnaire. Les tâches les plus urgentes continuent à être les mêmes que celles du mois dernier à savoir : Rétablir les contacts ; engager des combattants, nous ravitailler en médicaments et nous rééquiper.

A noter qu'Inti et Coco apparaissent de plus en plus comme des cadres militaires et révolutionnaires solides.

11

Septembre 1967

1er

Nous avons descendu les mulets de bonne heure, après quelques péripéties, y compris une chute spectaculaire du mâle. Le Médecin n'est pas remis mais moi si, et je marche parfaitement bien en conduisant la mule. La marche a duré plus longtemps que prévu et ce n'est qu'à 18 h 15 que nous nous sommes rendu compte que nous étions dans le torrent de la maison d'Honorato. Miguel a continué à toute vitesse mais il n'est allé que jusqu'à la route et il faisait déjà complètement nuit ; Benigno et Urbano ont avancé avec précaution et n'ont rien remarqué d'anormal ; nous avons donc occupé la maison qui était vide, mais elle s'était augmentée de plusieurs barraquements pour l'armée, abandonnés pour le moment. Nous avons trouvé de la farine, de la graisse, du sel et des chevreaux ; nous en avons tué deux qui avec la farine ont constitué un festin, bien que la cuisine nous ait pris toute cette soirée d'attente. Nous nous sommes retirés à l'aube en laissant une garde dans la maison et à l'entrée du chemin.

h = 740 m.

2

Tôt dans la matinée nous sommes repartis vers les chacos en laissant Coco, Pablo et Benigno en embuscade dans la maison sous la direction de Miguel. Une sentinelle est restée de l'autre côté. A 8 heures Coco est venu annoncer qu'un vacher était venu chercher Honorato ; ils étaient 4 et je leur ai donné l'ordre de faire venir les 3 autres. Tout ça a pris du temps, car il y avait une heure de marche de notre emplacement à la maison. A 13 h 30 on a entendu plusieurs coups de feu et on a appris qu'un paysan s'approchait avec un soldat et un cheval. Chino, qui montait la garde avec Pombo et Eustaquio, a lancé un cri : « un soldat » et il a armé son fusil ; le soldat lui a tiré dessus et s'est enfui, et Pombo a tiré et a tué le cheval. J'ai piqué une colère spectaculaire : c'est vraiment le comble de l'incapacité ; le pauvre Chino est anéanti. Nous avons relâché les 4 vachers qui avaient traversé entre-temps, et les deux prisonniers, et nous avons envoyé tout le monde vers le haut du Masicuri. Nous avons acheté aux vachers un petit taureau pour $ 700 et nous avons donné à Hugo $ 100 pour son travail plus $ 50 pour quelques affaires que nous lui avons prises. Le cheval mort s'est révélé être une bête qu'on avait laissée chez Honorato parce qu'elle était estropiée. Les vachers ont raconté que la femme d'Honorato s'était plainte de l'armée parce que les soldats avaient frappé son mari et qu'ils avaient mangé tout ce qu'elle avait. Quand les vachers sont passés il y a 8 jours, Honorato était à Valle Grande où il soignait une morsure de tigre. Il y avait en tout cas quelqu'un dans la maison, puisque nous y avons trouvé du feu allumé quand nous sommes arrivés. A cause de la faute du Chino j'ai décidé de partir le soir dans la même direction que les vachers et d'essayer d'arriver à la première maison, en supposant que les soldats étaient peu nombreux et qu'ils avaient suivi la retraite ; mais nous sommes partis très tard et nous n'avons passé le gué qu'à 3 h 45, sans trouver la maison ; nous avons dormi dans un sentier de vaches en attendant le jour.

La radio a donné une sale nouvelle sur l'anéantissement d'un groupe de 10 hommes commandés par un Cubain nommé Joaquín dans la zone de Camiri ; mais c'est la Voix de l'Amérique qui a donné la nouvelle et les stations locales n'en ont pas parlé.

3

Comme c'est dimanche, il y a eu un accrochage. A l'aube nous avons inspecté le Masicuri vers l'aval jusqu'à l'embouchure et ensuite nous avons un peu remonté le Río Grande ; à 13 heures Inti, Coco, Benigno, Pablito, Julio et León sont partis pour essayer d'arriver à la maison si l'armée n'y était pas et d'acheter les marchandises qui rendent notre vie plus supportable. Le groupe a d'abord capturé 2 peons qui ont dit que le propriétaire n'était pas là, qu'il n'y avai pas non plus de soldats et qu'on pouvait trouver pas ma de vivres. Autres informations : hier 5 soldats sont passés a galop sans s'arrêter dans la maison ; Honorato est pass chez lui il y a deux jours avec deux de ses fils. Quand il sont arrivés chez le latifundiste, 40 soldats venaient d'arri ver et il s'est produit un engagement confus où les nôtre ont tué au moins un soldat, qui avait un chien ; les soldat ont réagi et les ont encerclés, mais ils se sont retirés devan leurs cris ; on n'a pas pu prendre le moindre grain de riz L'avion a survolé la zone et a lancé quelques roquettes apparemment sur le Nacahuazu. Autre renseignement de paysans : ils n'ont pas vu de guérilleros dans cette zone e ils ont eu leur première information par les vachers qu sont passés hier.

La voix des Etats Unis a donné de nouveau un compt rendu de combat avec l'armée, et cette fois on a nomm José Carrillo comme seul survivant d'un groupe de 10 hom mes. Comme ce Carrillo est Paco, un des laissés pou compte, et que l'anéantissement s'est produit à Masicuri tout paraît indiquer que c'est un sacré bobard.

h = 650 m.

4

Un groupe de 8 hommes dirigés par Miguel s'est mis e embuscade sur le chemin de Masicuri à Honorato, jusqu' 13 heures ; rien de particulier. Pendant ce temps, Nato e Léon amenaient péniblement une vache, mais ensuite nou avons obtenu 2 magnifiques bœufs. Urbano et Camba fai saient environ 10 km en amont ; il y a 4 gués à passer don l'un est un peu profond. On a tué le petit taureau et on a demandé des volontaires pour faire une incursion de ravi taillement et d'information ; on a choisi Inti, Coco, Julio Aniceto, Chapaco et Arturo, sous le commandement d'Inti Pacho, Pombo, Antonio et Eustaquio se sont aussi proposés Les instructions d'Inti sont : arriver à la maison à l'aube observer les mouvements, se ravitailler s'il n'y a pas de soldats ; s'il y en a, contourner la maison et continuer essayer de capturer un soldat ; se rappeler que l'essentie est de ne pas avoir de pertes ; il recommande la plus grand prudence.

La radio a annoncé un mort au gué du Yeso, près de là où a été anéanti le groupe de 10 hommes, dans un nouve engagement, ce qui fait apparaître l'histoire de Joaquín comme un bobard ; par ailleurs ils ont donné tous les rensei gnements sur El Negro, le médecin péruvien, tué à Palma rito et transporté à Camiri ; El Pelado a collaboré à son identification. Cette fois il doit s'agir d'un mort réel ; le atres peuvent être fictifs ou faire partie des laissés pour ompte. En tout cas la teneur des communiqués qui maintenant parlent de Masicuri et de Camiri est étrange.

5

La journée s'est passée sans aucune nouvelle, dans l'attente u résultat. Le groupe est revenu à 4 h 30 en ramenant une ule et quelques marchandises. Dans la maison du propriéire Morón il y avait des soldats qui ont failli découvrir le oupe grâce à leurs chiens ; il semble qu'ils se déplacent la uit. Nos hommes ont contourné la maison et se sont ouvert n chemin vers celle de Montaño où il n'y avait personne, ais où ils ont trouvé du maïs dont ils ont rapporté un uintal. A midi à peu près ils ont traversé la rivière et sont mbés sur les maisons de l'autre côté, au nombre de deux ; ans l'une, tout le monde a pris la fuite et on a réquisionné le mulet, dans l'autre on a trouvé très peu de collaoration et il a fallu recourir aux menaces. Les habitants t dit qu'ils n'avaient pas vu de guérilleros jusque là, et u'il n'y en avait eu qu'un groupe chez Pérez avant le rnaval (nous). Il faisait jour quand notre groupe est parti et il a attendu la nuit pour occuper la maison de orón. Tout allait très bien mais Arturo s'est perdu et a ormi dans le sentier, on a perdu 2 heures à le chercher ; s ont laissé quelques traces qui pourraient permettre qu'on ous repère si le bétail n'efface pas tout ; en plus ils ont issé tomber quelques affaires en route. Le moral des ommes a immédiatement changé.

La radio annonce qu'on n'a pas pu identifier les guérilleos morts mais qu'il peut y avoir des nouvelles à tout moent. On a déchiffré le message complet qui dit que l'OLAS été un triomphe mais que la délégation bolivienne était ne merde ; Aldo Flores du P.C.B. a prétendu être le eprésentant de l'E.L.N. et il a fallu le démentir ; ils ont emandé qu'un homme de Kolle aille discuter ; la maison e Lozano a été perquisitionnée et celui-ci se cache ; on ense qu'on peut échanger Debray. C'est tout : manifesteent ils n'ont pas reçu notre dernier message.

6

Benigno

L'anniversaire de Benigno s'annonçait prometteur ; à l'aube ous avons fait de la farine avec ce qui était arrivé et on pris un peu de maté avec du sucre ; ensuite, Miguel est llé se poster en embuscade à la tête de 8 hommes tandis ue Léon emmenait un autre petit taureau. Comme il était n peu tard, un peu plus de 10 heures, et qu'ils ne revenaient pas, j'ai envoyé Urbano les aviser de suspendre l'embuscade à midi. Quelques minutes plus tard on a entendu un coup de feu, puis une courte rafale, et un coup de feu a retent dans notre direction ; tandis que nous prenions position Urbano est arrivé au pas de course ; il avait rencontré une patrouille qui amenait des chiens. Avec 9 hommes de l'autre côté, sans savoir exactement où, j'étais désespéré ; on a amélioré le chemin, pour s'en sortir sans arriver au bord de la rivière, et on y a envoyé Moro, Pombo et Camba, avec Coco. Je pensais transporter les sacs et faire un roulemen d'arrière-garde si c'était possible, jusqu'à ce qu'il rejoigne le groupe qui, par ailleurs, pouvait tomber dans une embus cade. Cependant Miguel est revenu avec tous ses hommes à travers les broussailles. Explication : Miguel s'est avancé sans laisser de sentinelle sur notre sentier, et il s'est occupé de chercher le bétail, León a entendu l'aboiement d'un chien et Miguel, par précaution, a décidé de revenir ; à ce moment-là ils ont entendu les coups de feu et ils ont vu qu'une patrouille était passée entre eux et le bois par un sentier et qu'elle les avait déjà dépassés ; alors ils se son ouvert un chemin.

Nous nous sommes retirés dans le calme, avec 3 mulets e les 3 bovins, et après avoir passé 4 gués, dont deux périlleux nous avons campé à environ 7 km du dernier campemen et nous avons sacrifié la vache ; nous avons mangé copieu sement. L'arrière-garde a signalé qu'elle avait entendu une fusillade prolongée dans la direction du campement, avec de nombreuses mitrailleuses.

h = 640 m.

7

Courte marche. On n'a franchi qu'un gué, et on s'es heurté ensuite à des difficultés à cause de l'à pic, ce qui a décidé Miguel à camper pour nous attendre. Demain nous ferons de bonnes reconnaissances. Voilà la situation : l'avia tion ne nous cherche pas par ici bien qu'elle soit arrivée au campement, et la radio annonce même que je suis le chef du groupe. La question est donc : est-ce qu'ils ont peur peu probable ; est-ce qu'ils considèrent l'escalade impos sible ? vu ce que nous avons fait et ce qu'ils savent, je ne le crois pas ; est-ce qu'ils veulent nous laisser avancer pour nous attendre à un point stratégique ? c'est possible ; est-ce qu'ils croient que nous resterons dans la zone de Masicuri pour nous ravitailler ? c'est possible aussi. Le Médecin va beaucoup mieux, mais moi j'ai eu une rechute et j'ai passé une nuit blanche.

La radio parle des précieux renseignements fournis par José Carrillo (Paco) ; il faudrait faire un exemple avec lui Debray parle des déclarations de Paco contre lui, et dit qu'il chassait quelquefois et que c'est pour ça qu'on a pu le voir avec un fusil. Radio La Cruz del Sur annonce la grande découverte du cadavre de Tania, la guérillera, sur la rive du Rio Grande ; les indications ne donnent pas la même impression de vérité que dans le cas d'El Negro ; le cadavre a été emporté à Santa Cruz, d'après ce que dit cette station et elle seule, pas celle de l'Altiplano.

h = 720 m.

J'ai parlé avec Julio ; il va très bien mais il regrette l'absence de contact et d'engagement des gens.

8

Journée tranquille. Nous avons posté des embuscades de 8 hommes du matin au soir, sous le commandement d'Antonio et de Pombo. Les bêtes se sont bien nourries dans un chuchial[1] et le mulet se remet de ses coups. Aniceto et Chapaco sont allés en reconnaissance en amont et sont revenus en disant que le chemin était relativement bon pour les bêtes ; Coco et Camba ont traversé la rivière avec de l'eau jusqu'à la poitrine et ont escaladé une pente en face mais sans en tirer d'information. J'ai envoyé Miguel avec Aniceto, et le résultat d'une reconnaissance plus prolongée est que, d'après Miguel, il sera très difficile de faire passer les bêtes. Demain nous insisterons de ce côté, car il y a toujours la possibilité de faire passer les bêtes sans chargement et par l'eau.

La radio a annoncé que Barrientos avait assisté à l'inhumation des restes de la guérillera Tania qui a reçu une « sépulture chrétienne » et qu'il est allé ensuite à Puerto Mauricio, qui est la maison d'Honorato ; il a fait une proposition aux Boliviens trompés, qui n'ont pas reçu le salaire promis, pour qu'ils se présentent les mains sur la tête aux postes militaires, et déclaré qu'on ne prendrait pas de mesures contre eux. Un petit avion a bombardé de chez Honorato vers le bas, comme pour faire une démonstration à Barrientos.

Un journal de Budapest critique Che Guevara, figure pathétique et, paraît-il, irresponsable, et salue l'attitude marxiste du Parti chilien qui prend des attitudes pratiques face à l'action. Comme j'aimerais arriver au pouvoir, uniquement pour démasquer les lâches et les laquais de tout poil et leur frotter le museau dans leurs cochonneries.

9

Miguel et Nato sont allés en reconnaissance et ont annoncé au retour qu'on peut passer mais que les bêtes devront

1. Champ planté d'une sorte de bambou. (N.d.Ed.).

traverser à la nage ; il y a un gué pour les hommes. Il y a un torrent assez grand sur la rive gauche où nous campérons. Les embuscades ont continué par groupes de 8 sous la direction d'Antonio et de Pombo ; il n'y a pas eu de nouveauté. J'ai parlé avec Aniceto : il a l'air très solide bien qu'il trouve que plusieurs Boliviens se ramolissent ; il se plaint de l'absence de travail politique de Coco et d'Inti. Nous avons terminé la vache dont il ne reste plus que les 4 pattes pour faire un bouillon demain.

La seule nouvelle de la radio est la suspension du procès de Debray jusqu'au 17 septembre au moins.

10

Mauvaise journée. Elle a commencé sous de bons auspices mais ensuite les bêtes se sont mises à résister sur le chemin qui était très mauvais et finalement le mâle n'avançait plus ; il est resté en arrière et il a fallu le laisser de l'autre côté. C'est Coco qui a pris cette décision en raison d'une crue violente de la rivière, mais de l'autre côté sont restées 4 armes, dont celle de Moro et 3 grenades antichars pour l'arme de Benigno. J'ai traversé la rivière à la nage avec la mule mais j'ai perdu mes chaussures dans la traversée, et maintenant je dois porter des abarcas, ce qui ne m'amuse pas du tout. Nato a fait un baluchon avec ses vêtements et ses armes enveloppés dans une toile cirée et a plongé quand la crue était violente ; il a tout perdu dans la traversée. L'autre mule s'est cabrée et s'est élancée seule pour traverser, mais il a fallu la faire retourner parce qu'on ne pouvait pas passer ; quand elle a essayé une nouvelle fois de traverser avec León, lui et la mule ont failli se noyer car l'orage est arrivé. Finalement nous sommes tous arrivés au torrent qui était notre but, le Médecin en très mauvaise condition ; il s'est plaint ensuite de névralgies dans les extrémités pendant toute la nuit. A partir de là notre projet était d'envoyer à nouveau les bêtes à la nage de l'autre côté, mais la crue nous en a empêchés, du moins jusqu'à ce que la rivière baisse. En outre, des avions et des hélicoptères ont survolé la zone ; l'hélicoptère ne me dit rien de bon parce qu'ils peuvent être en train de poster des embuscades sur la rivière. Demain il y aura des reconnaissances en amont et en aval de la rivière, pour essayer de préciser où nous nous trouvons.

h = 780 m. Chemin = 3-4 km.

J'oubliais de signaler un événement ; aujourd'hui, après un peu plus de 6 mois, j'ai pris un bain. C'est un record que déjà plusieurs camarades ont atteint.

11

Journée tranquille. Des hommes sont partis reconnaître l'amont de la rivière et le torrent ; ceux de la rivière sont revenus à la tombée de la nuit en annonçant qu'il y aurait très probablement un passage quand la rivière baisserait un peu plus, et qu'il y a des plages où les bêtes peuvent marcher. Benigno et Julio sont allés reconnaître le torrent mais très superficiellement et à midi ils étaient de retour. Nato et Coco, aidés par l'arrière-garde, sont allés chercher les affaires restées en arrière en faisant traverser le mulet ; ils n'ont laissé qu'un sac avec les chargeurs de balles de mitrailleuse.

Il s'est produit un incident désagréable : El Chino est venu me dire que Nato avait rôti et mangé un filet entier devant lui ; je me suis mis en colère avec El Chino parce que c'est lui qui était chargé de l'en empêcher, mais, vérifications faites, tout s'est compliqué parce qu'il n'était pas possible de savoir si El Chino avait ou non autorisé ce geste. Il a demandé à être remplacé et j'ai nommé à nouveau Pombo à ce poste, mais c'est un coup dur, surtout pour El Chino.

La radio a annoncé ce matin que Barrientos affirmait que j'étais mort depuis longtemps et que tout ça c'était de la propagande et — ce soir — qu'il offrait $ 50 000 (4 200 U.S.) pour les renseignements qui permettraient de me capturer mort ou vif. On dirait que les forces armées lui ont donné un [ ] [2]. On a lancé des tracts sur la région, probablement avec mon signalement. Requeterán dit qu'on peut considérer l'offre de Barrientos comme psychologique, car la ténacité des guérilleros est bien connue et qu'ils se préparent pour une guerre prolongée.

J'ai parlé longuement avec Pablito ; comme tous les autres, il est inquiet du manque de contact et estime que notre tâche principale est de le rétablir avec la ville ; mais il s'est montré ferme et décidé pour « la Patrie ou la Mort » et tout ce que ça comporte.

12

La journée a commencé par un épisode tragi-comique : à 6 heures exactement, heure de la diane, Eustaquio vient me prévenir que des gens arrivent par le torrent ; c'est l'appel aux armes et tout le monde est prêt ; Antonio les a vus, et quand je lui demande combien ils sont il me répond avec sa main qu'ils sont cinq. Ce n'était finalement qu'une hallucination, dangereuse pour le moral de la troupe car aussitôt on s'est mis à parler de psychose. J'ai bavardé

2. Illisible dans l'original. (N.d.Ed.).

ensuite avec Antonio et manifestement il n'est pas normal ; il s'est mis à pleurer mais il a dit qu'il n'avait pas de souci et a expliqué que c'était seulement le manque de sommeil, parce qu'il est de corvées pendant 6 jours depuis qu'il s'est endormi à son poste et n'a pas voulu le reconnaître. Chapaco a désobéi à un ordre et a été puni par 3 jours de corvées. Dans la soirée il m'a demandé de passer à l'avant-garde parce qu'il ne s'entend pas avec Antonio ; j'ai refusé. Inti, León et Eustaquio sont partis faire une reconnaissance sérieuse du torrent pour voir si on peut l'emprunter pour passer de l'autre côté d'une grande cordillière qu'on voit au loin. Coco, Aniceto et Julio sont partis en amont pour essayer de reconnaître les gués et voir comment on peut emmener les bêtes si on continue par là.

L'offre de Barrientos a provoqué, semble-t-il, une certaine sensation ; en tout cas, un journaliste bien intentionné trouve que 4 200 US c'est peu pour le danger que je représente. Radio La Havane a annoncé, que l'OLAS avait reçu un message de soutien de l'E.L.N. ; miracles de la télépathie !

13

Les explorateurs sont revenus : Inti et son groupe ont remonté le torrent toute la journée ; ils ont dormi assez haut et ont eu assez froid ; le torrent naît apparemment dans une cordillère qui est en face, en direction de l'ouest ; il ne permet pas le passage des bêtes. Coco et ses camarades ont essayé de traverser la rivière, sans succès ; ils ont franchi 11 rochers à pic avant d'arriver au cañon d'une rivière qui doit être la Pesca ; il y a des signes de vie, des chacos brûlés et un bœuf ; les bêtes devraient traverser de l'autre côté, à moins que nous le fassions tous en radeau pour y aller ensemble ; c'est ce que nous essaierons de faire.

J'ai parlé avec Dario et j'ai évoqué la possibilité de son départ s'il en a envie ; il m'a d'abord répondu qu'il était dangereux de partir mais je lui ai fait remarquer qu'ici ce n'est pas un refuge et que s'il décide de rester c'est une fois pour toutes et pour toujours. Il a dit qu'il était d'accord et qu'il se corrigerait. Nous allons voir.

La seule nouvelle de la radio est qu'on a flanqué à Debray père un coup de feu en l'air, et qu'on a confisqué au fils tous les documents préparatoires pour sa défense sous prétexte qu'ils ne veulent pas que celle-ci se transforme en brochure politique.

14

Journée pénible. A 7 heures Miguel est parti avec toute l'avant-garde et Nato. Ils avaient l'ordre de marcher le plus loin possible de ce côté et de faire un radeau là où le passage était difficile ; Antonio est resté en embuscade avec toute l'arrière-garde. On a laissé deux M-1 dans une petite cave que connaissent Nato et Willi. A 13 heures 30, comme nous n'avions pas de nouvelles, nous nous sommes mis en marche. On n'a pas pu aller en mule et moi, avec un début de crise d'asthme, j'ai dû laisser la bête à León et continuer à pied. L'arrière-garde a reçu l'ordre de se mettre en marche à 15 heures, sauf contre-ordre. Pablito est arrivé à peu près à cette heure en annonçant que le bœuf était en face du point de traversée des bêtes et qu'on construisait le radeau un km plus haut. J'ai attendu que les bêtes arrivent, ce qui ne s'est produit qu'à 18 h 15, après qu'on avait envoyé des hommes les chercher. A ce moment là les deux mulets ont traversé (le bœuf l'avait fait avant) et nous avons continué d'un pas lent jusqu'à l'endroit où se trouvait le radeau ; j'ai vu alors qu'il y avait encore 12 hommes de ce côté ; 10 seulement avaient traversé. Ainsi divisés nous avons passé la soirée, en mangeant notre dernière ration de bœuf, à moitié pourrie.

h = 720 m. — chemin 2-3 km.

15

Le chemin parcouru a été un peu plus long : 5-6 km., mais nous ne sommes pas arrivés à la rivière de la Pesca, parce qu'il a fallu faire traverser les bêtes deux fois et qu'une des mules refuse de traverser. Il reste encore une traversée à faire et il faut voir si les mules peuvent passer.

La radio annonce la détention de Loyola, ce doit être à cause des photos. Le taureau qui nous restait est mort, des mains du bourreau, naturellement.

h = 780 m.

16

La journée s'est passée à la confection du radeau et à la traversée de la rivière ; nous n'avons marché que 500 m. environ jusqu'au campement où se trouve une petite source. La traversée s'est effectuée sans incident sur un bon radeau qu'on halait des deux rives avec des cordes. A la fin, quand nous les avons laissés seuls, Antonio et Chapaco ont eu une nouvelle altercation et Antonio a donné une punition de 6 jours à Chapaco pour insultes ; j'ai respecté cette décision tout en n'étant pas sûr qu'elle soit juste. Il y a eu un autre incident dans la soirée quand Eustaquio a accusé Nato de manger une ration de plus ; il s'agissait en fait de couenne. Encore une situation pénible créée par la nourriture. Le Médecin m'a posé un autre problème, à propos de sa maladie et de ce que les hommes en pensaient, à la suite de certaines remarques de Julio ; tout ça a l'air sans importance.

h = 820 m.

17

Pablito

Journée stomatologique ; j'ai arraché des dents à Arturo et à Chapaco. Miguel a fait une reconnaissance jusqu'à la rivière et Benigno a inspecté le chemin ; ils ont annoncé que les mules peuvent monter mais qu'avant elles doivent nager pour traverser et retraverser la rivière. En honneur de Pablito nous avons fait pour lui un peu de riz ; il a aujourd'hui 22 ans et c'est le plus jeune de la guérilla.

La radio n'annonce que l'ajournement du procès et une protestation contre la détention de Loyola Guzman.

18

Nous nous sommes mis en marche à 7 heures, mais Miguel est bientôt revenu annoncer qu'au détour il avait vu 3 paysans, et qu'il ne savait pas ci ces derniers nous avaient vus ; je lui ai donné l'ordre de les arrêter. Chapaco a mis en scène l'immanquable bagarre, en accusant Arturo de lui avoir volé 15 balles dans son chargeur ; il est sinistre et le seul bon côté c'est que, bien qu'il se dispute avec les Cubains, aucun Bolivien ne s'en préoccupe. Les mules ont fait tout le trajet sans nager, mais en traversant un ravin la mule noire nous a échappé et elle s'est blessée, car elle a roulé sur environ 50 m. On a fait prisonniers 4 paysans qui allaient avec leurs petits ânes à Piraypandi, une rivière située à une lieue de là en amont, et ils ont dit qu'au bord du Río Grande se trouvaient Aladino Gutiérrez et ses gens, qui chassaient et pêchaient. Benigno a commis l'extrême imprudence de se laisser voir par lui, sa femme et un autre paysan, et de les laisser s'en aller. Quand je l'ai appris je me suis mis dans une sacrée colère et j'ai appelé ça un acte de trahison, ce qui a déclenché chez Benigno une crise de larmes. Tous les paysans ont été avisés qu'ils partiront demain avec nous à Zitano, la ferme où ils habitent, à 6-8 lieues d'ici. Aladino et sa femme sont assez fuyants et il a été très difficile de les faire nous vendre de la nourriture.

La radio annonce maintenant la nouvelle de deux tentatives de suicide de Loyola « par peur des représailles des guérilleros » et la détention de divers professeurs qui s'ils ne sont pas complices, sympathisent du moins avec nous. On a dû prendre beaucoup de choses chez Loyola, mais ça ne m'étonnerait pas que tout vienne des photos de la cave.

A la tombée de la nuit le petit avion et le mustang ont survolé la zone d'une manière suspecte.
h = 800 m.

19

Nous ne sommes pas partis très tôt parce que les paysans ne trouvaient pas leurs bêtes. Finalement, après que je les ai houspillés, nous sommes partis avec la caravane de prisonniers. Avec Moro nous avons marché lentement et quand nous sommes arrivés à l'écart de la rivière nous avons appris qu'il y avait 3 prisonniers de plus et que l'avant-garde venait de partir, pensant arriver à une hacienda avec de la canne, à deux lieues. Elles ont été longues, de même que les 2 premières avaient été très longues. Vers 9 heures du soir nous sommes arrivés à l'hacienda qui n'est en fait qu'un champ de canne et l'avant-garde est arrivée après 21 heures.

J'ai eu une conversation avec Inti sur certaines faiblesses pour la nourriture et il m'a répondu très ennuyé que c'était vrai, et qu'il ferait une autocritique publique quand nous serions seuls, mais il a démenti certaines accusations. Nous sommes passés à 1 440 m. et nous nous trouvons à 1 000 ; d'ici à Lucitano il y a 3 heures de marche, peut-être quatre, disent les pessimistes. Nous avons enfin mangé du porc et ceux qui aiment les douceurs ont pu se remplir de chankaka.

La radio a insisté sur l'affaire Loyola et les professeurs sont en pleine grève ; les élèves de l'école secondaire où travaillait Higueras, un de leurs détenus, font la grève de la faim, et les ouvriers du pétrole sont sur le point d'être en grève à propos de la création de l'entreprise du pétrole.

Signe des temps : je n'ai plus d'encre.

20

J'ai décidé de partir à 15 heures pour arriver à la tombée du jour à la ferme de Lucitano, puisque on avait dit qu'on y arrivait facilement en 3 heures, mais diverses difficultés ont retardé le voyage, pour nous, jusqu'à 17 heures et nous avons pris par une obscurité complète sur la colline ; nous avons eu beau allumer une mèche, nous ne sommes arrivés qu'à 23 heures chez Aladino Gutiérrez qui n'avait pas grand chose à vendre, bien que nous ayions obtenu quelques cigarettes et autres babioles ; aucun vêtement. Nous avons somnolé un peu pour reprendre la marche à 3 heures dans la direction d'Alto Seco qui est paraît-il à 4 lieues. Nous avons occupé le téléphone du maire mais il ne marche plus depuis des années et en plus la ligne est tombée. Le maire s'appelle Vargas et il y a peu de temps qu'il est en place.

La radio n'annonce rien d'important ; nous sommes passés à 1 800 m. et Lucitano est à 1 400 m.

Nous avons fait à peu près deux lieues jusqu'à la ferme.

21

Nous sommes partis à 3 heures avec un bon clair de lune, par le chemin reconnu d'avance, et nous avons marché jusqu'à 9 heures à peu près sans rencontrer âme qui vive et en passant à des hauteurs de 2 040 mètres, le plus haut que nous ayions atteint. A ce moment-là nous avons rencontré deux vachers qui nous ont indiqué le chemin vers Alto Seco ; nous avions encore 2 lieues à faire ; en marchant une partie de la nuit et la matinée nous avions à peine parcouru 2 lieues. En arrivant aux premières maisons de la descente nous avons acheté quelques vivres et nous sommes allés manger dans la maison du maire ; plus tard nous avons rencontré un moulin à maïs actionné hydrauliquement au bord du Piraymiri (1 400 m. d'altitude). Les gens ont très peur et essaient de disparaître de notre présence ; nous avons perdu beaucoup de temps faute de mobilité. Les deux lieues jusqu'à Alto Seco nous ont pris de 12 h 35 à 5 heures.

22

Quand nous, le centre, sommes arrivés à Alto Seco, nous nous sommes rendu compte que le maire — semble-t-il — était parti hier pour prévenir que nous étions tout près ; à titre de représailles nous lui avons pris toute sa boutique. Alto Seco est un petit village de 50 maisons, situé à 1 900 m. d'altitude, qui nous a reçus avec un mélange bien dosé de peur et de curiosité. La machine de l'approvisionnement a commencé à fonctionner et bientôt nous avons eu à notre campement — une maison abandonnée près du point d'eau — une quantité imposante de vivres. La camionnette qui devait arriver de Valle Grande n'est pas venue, ce qui confirmerait que le maire avait prévenu ; cependant j'ai dû supporter les pleurs de sa femme qui, au nom du ciel et de ses enfants, demandait qu'on la paye, ce que j'ai refusé de faire. Dans la soirée, Inti a fait une réunion dans la salle de classe (1re et 2e années) où il a expliqué à un groupe de 15 paysans étonnés et silencieux les buts de notre révolution ; l'instituteur a été le seul à intervenir pour demander si nous nous battions dans les villages. C'est un mélange de paysan rusé, instruit, avec la naïveté d'un enfant ; il a posé une foule de questions sur le socialisme. Un gamin s'est proposé pour nous servir de guide mais il nous a mis en garde contre l'instituteur qu'on traite de renard. Nous sommes partis à 1 h 30 dans la direction de Santa Elena où nous sommes arrivés à 10 h.

h = 1 300 m.

Barrientos et Ovando ont donné une conférence de presse au cours de laquelle ils ont fourni tous les renseignements pris dans les documents et annoncé que le groupe de Joaquín était anéanti.

23

L'endroit était un très beau champ d'orangers où il restait encore une bonne quantité de fruits. Nous avons passé la journée à nous reposer et à dormir, mais il a fallu beaucoup de surveillance. Nous nous sommes levés à une heure et nous sommes partis à 2 heures en direction de Loma larga, où nous sommes arrivés à l'aube. Nous sommes passés à 1 800 m. Les hommes sont très chargés et la marche est lente. J'ai eu une indigestion avec le dîner de Benigno.

24

Nous sommes arrivés au hameau qui s'appelle Loma Larga, moi avec une crise de foie et des vomissements, et les hommes épuisés par des marches qui ne rapportent rien. J'ai décidé de passer la nuit à l'embranchement du chemin de Pujio et on a tué un cochon que nous a vendu le seul paysan qui soit resté chez lui : Sóstenos Vargas ; les autres fuient à notre vue.

h = 1 400

25

Nous sommes arrivés de bonne heure à Pujio mais il y avait là des gens qui nous avaient vus en bas la veille ; autrement dit nous sommes annoncés par Radio Bemba [3]. Pujio est un petit hameau situé sur une hauteur et les gens qui se sont enfuis en nous voyant se sont ensuite approchés peu à peu et nous ont bien traités. A l'aube était parti un carabinier qui était venu de Serrano à Chuquisaca pour arrêter un mauvais payeur. Nous nous trouvons à un endroit où convergent les 3 départements. Ça devient dangereux de marcher avec des mules, mais j'essaie que le Médecin voyage dans les meilleures conditions car il devient très faible. Les paysans disent que dans toute cette zone ils ne connaissent pas l'armée. Nous avons marché par à-coups jusqu'à arriver à Tranca Mayo où nous avons dormi à côté du chemin car Miguel n'avait pas pris les précautions que j'avais exi-

3. C'est une expression populaire à Cuba pour désigner la rumeur publique. (N.d.Ed.).

gées. Le maire de Higueras est dans le voisinage et j'ai donné l'ordre à la garde de l'arrêter.

h = 1 800 m.

Inti et moi nous avons parlé avec Camba et nous avons convenu qu'il nous accompagnerait jusqu'à ce qu'on voie La Higuera, endroit situé près de Pucará, et que de là il essaierait de partir vers S. Cruz.

26

Déroute. Nous sommes arrivés à l'aube à Picacho où tout le monde était en fête ; c'est le point le plus élevé que nous ayions atteint : 2 280 m. ; les paysans nous ont très bien traités et nous avons continué sans trop de craintes bien qu'Ovando ait annoncé ma capture d'un moment à l'autre. En arrivant à La Higuera, tout a changé : tous les hommes avaient disparu et il n'y avait que quelques femmes. Coco est allé dans la maison du télégraphiste, car il y a le téléphone, et il a apporté une communication du 22 où le sous-préfet de Valle Grande informe le maire qu'on a appris la présence de guérilleros dans la zone et que toute nouvelle doit être communiquée à V.G. où on paiera les frais ; l'homme s'était enfui, mais la femme a assuré qu'aujourd'hui personne n'avait téléphoné parce que c'est la fête à Jagüey, le village voisin.

L'avant-garde est partie à 13 heures pour essayer d'arriver à Jagüey et là prendre une décision à propos des mules et du Médecin ; peu après, j'étais en train de parler avec le seul homme du village, très effrayé, quand un marchand de coca est arrivé qui a dit qu'il venait de V.G. et de Pucará et qu'il n'avait rien vu. Il était aussi très nerveux mais j'ai attribué ça à notre présence et je les ai laissés partir tous les deux malgré leurs mensonges. Quand je suis parti vers le sommet de la côte, à 13 h 30 à peu près, des coups de feu dans toute la montagne m'ont annoncé que les nôtres étaient tombés dans une embuscade. J'ai organisé la défense dans le petit village, pour attendre les survivants et j'ai indiqué comme issue un chemin qui va au Río Grande. Quelques instants plus tard est arrivé Benigno blessé, puis Aniceto et Pablito avec un pied en mauvais état ; Miguel, Coco et Julio avaient été tués et Camba avait disparu en laissant son sac. L'arrière-garde est partie rapidement par le chemin et je l'ai suivie, en emmenant toujours les deux mules ; ceux de derrière ont reçu le feu tout près et se sont retardés et Inti a perdu le contact. Après l'avoir attendu une demi-heure dans une petite embuscade et avoir essuyé encore l'attaque de la montagne, nous avons décidé de le laisser, mais il nous a rejoints peu après. C'est à ce moment-là que nous nous sommes aperçu que León avait disparu, et Inti nous a dit qu'il avait vu son sac sur le sentier par lequel il avait dû partir ; nous avons vu un homme qui marchait très vite dans le cañon et nous en avons conclu que c'était lui. Pour essayer de brouiller la piste nous avons lâché les mules vers le bas du cañon, et nous avons continué par une petite gorge qui avait plus loin de l'eau amère ; nous avons dormi à 12 heures parce que nous ne pouvions plus avancer.

27

A 4 heures nous avons repris la marche en essayant de trouver un endroit par où monter, ce que nous avons réussi à faire à 7 heures, mais du côté opposé à celui que nous prévoyions ; il y avait une colline en face, pelée et d'apparence inoffensive. Nous avons grimpé un peu plus pour nous mettre à l'abri de l'aviation dans un petit bois, et nous avons découvert que la colline avait un chemin, encore que personne ne l'ait emprunté de toute la journée. A la tombée de la nuit un paysan et un soldat ont monté la côte jusqu'à mi-hauteur et ont traîné là un moment sans nous voir. Aniceto venait de faire une reconnaissance et avait vu un bon groupe de soldats dans une maison voisine ; c'était pour nous le chemin le plus facile et il était désormais coupé. Dans la matinée nous avons vu monter sur une colline voisine une colonne ; elle transportait des objets qui brillaient au soleil et plus tard, à midi, on a entendu des coups de feu isolés et quelques rafales, puis des cris : « il est là » ; « sors de là » ; « tu vas sortir, oui ou non », accompagnés de coups de feu. Nous ne savons pas ce que l'homme est devenu et nous pensons que c'était peut-être Camba. Nous sommes partis à la tombée de la nuit pour essayer de descendre à l'eau par un autre côté et nous nous sommes trouvés dans des buissons plus épais que ceux d'avant ; il a fallu chercher de l'eau dans le cañon puisque par ici une paroi à pic nous en empêche.

La radio a annoncé que nous avions eu un engagement avec la compagnie Galindo, et qu'il y avait 3 morts qu'on allait transporter à V.G. pour les identifier. Apparemment ils n'ont pris ni Camba ni León. Nos pertes ont été très lourdes cette fois-ci ; la perte la plus pénible est celle de Coco, mais Miguel et Julio étaient d'admirables combattants, et la valeur humaine des trois hommes n'a pas de prix. León peignait bien.

h = 1 400 m.

28

Jour d'angoisse, qu'à un certain moment nous avons cru être le dernier. On a apporté de l'eau à l'aube et presque aussitôt Inti et Willi sont allés reconnaître une autre descente possible vers le cañon, mais ils sont revenus immédiatement, car toute la colline d'en face est traversée par un chemin et un paysan à cheval y passait. A 10 heures, 46 soldats sont passés en face de nous sacs au dos, et ils ont mis des siècles à s'éloigner. A 12 heures un autre groupe a fait son apparition, cette fois-ci de 77 hommes, et pour comble on a entendu un coup de feu à ce moment-là et les soldats ont pris position ; l'officier a donné l'ordre de descendre de toute manière au ravin, qui semblait être le nôtre, mais finalement ils ont communiqué par radio et ils ont eu l'air satisfaits ; ils ont renoncé à descendre. Notre refuge est sans défense contre une attaque venant d'en haut et nous n'avions guère de possibilités d'échapper s'ils nous découvraient. Plus tard, un soldat retardataire est passé comme un chien fatigué ; on le tiraillait pour le faire avancer ; un peu plus tard encore on a vu passer un paysan qui guidait un autre retardataire ; le paysan est reparti aussitôt et il n'y a plus rien eu de particulier ; mais le moment du coup de feu a été très angoissant. Tous les soldats sont passés avec leur sac, ce qui fait penser qu'ils se retirent, et on n'a pas vu de feux le soir dans la maisonnette ; on n'a pas entendu non plus les coups de feu par lesquels ils saluent généralement la tombée de la nuit. Demain nous ferons toute la journée une reconnaissance dans le hameau. Une pluie fine nous a mouillés, mais il me semble qu'elle n'a pas été suffisante pour effacer nos traces.

La radio a annoncé que Coco avait été identifié, et a donné une nouvelle confuse sur Julio ; ils confondent Miguel avec Antonio dont ils ont signalé les activités à Manila. A un moment ils ont fait courir la nouvelle de ma mort ; ensuite ils l'ont démentie.

29

Encore une journée de tension. La reconnaissance : Inti et Aniceto sont partis surveiller la maison toute la journée. Le mouvement a commencé de bonne heure sur le chemin et au milieu de la matinée sont passés des soldats sans sacs dans les deux sens, ainsi que d'autres qui faisaient monter des ânes non chargés qui sont ensuite repartis chargés. Inti est arrivé à 18 h 15 en disant que les 16 soldats qui étaient descendus étaient entrés dans le chaco et qu'on ne les avait plus vus ; apparemment, c'est là que les ânes ont été chargés. Etant donné ces nouvelles, il était difficile de prendre la décision de faire ce chemin, le plus facile et le plus logique, puisqu'il peut facilement y avoir des soldats en embuscade, et que de toute façon il y a des chiens dans la maison qui détecteraient notre présence. Demain nous ferons deux reconnaissances : l'une au même endroit et une autre pour essayer de marcher en remontant le plus possible, pour voir s'il y a une issue par là-bas, en traversant probablement le chemin que font les soldats.

La radio n'a donné aucune nouvelle.

30

Encore un jour de tension. Dans la matinée, Radio Balmaceda du Chili a annoncé que, de sources officielles de l'armée, on savait que Che Guevara était traqué dans un cañon sauvage. Les stations locales n'en disent rien ; il est peut-être possible que ce soit une manœuvre et qu'ils aient la certitude de notre présence dans la zone. Peu après a commencé la traversée des soldats d'un côté à l'autre. À 12 h, 40 soldats sont passés en colonnes séparées et le fusil armé. Ils sont allés jusqu'à la maisonnette où ils ont installé leur campement et monté une garde nerveuse. Aniceto et Pacho en ont fait état. Inti et Willy sont revenus avec la nouvelle que le Río Grande se trouve à 2 km environ en ligne droite, qu'il y a trois maisons en remontant le cañon et qu'on peut camper dans des endroits où on ne nous verrait d'aucun côté. On a cherché de l'eau et à 22 heures nous avons commencé une marche de nuit pénible, retardée par El Chino qui marche très mal dans l'obscurité. Benigno va très bien, mais le Médecin n'arrive pas à récupérer.

RESUME DU MOIS

Ç'aurait dû être un mois de récupération et ça l'a presque été, mais l'embuscade où sont morts Miguel, Coco et Julio a tout fait échouer, et nous sommes restés ensuite dans une position dangereuse, en perdant en plus León ; la disparition de Camba est un bénéfice net.

Nous avons eu de petits accrochages où nous avons tué un cheval ; nous avons tué un soldat, blessé un autre, et Urbano a tiraillé avec une patrouille ; et il y a eu l'embuscade néfaste de la Higuera. Nous avons abandonné les mules et je crois que pendant longtemps nous n'aurons pas de bêtes de ce genre, à moins que je sois repris par des crises d'asthme.

Par ailleurs il semble y avoir plusieurs variantes des nouvelles sur les morts de l'autre groupe qu'on doit considérer comme liquidé, encore qu'il soit possible qu'un petit groupe circule, évitant le contact avec l'armée, car la nouvelle de la mort simultanée des 7 hommes peut être fausse, ou du moins exagérée.

Les caractéristiques du mois sont les mêmes que pour le

mois dernier, sauf que maintenant l'armée fait preuve de plus d'efficacité dans son action, que la masse paysanne ne nous aide en rien et que les paysans se transforment en dénonciateurs.

La tâche la plus importante est de s'enfuir et de chercher des zones plus propices ; ensuite les contacts, bien que tout le réseau soit démantelé à La Paz où nous avons aussi été durement frappés. Le moral du reste de la troupe s'est assez bien maintenu, et il me reste seulement des doutes sur Willy, qui risque de profiter d'un branle-bas quelconque pour s'échapper tout seul, si je ne parle pas avec lui.

Octobre 1967

1er

h = 1 600 m.

Ce premier jour du mois s'est passé sans rien de nouveau. Nous sommes arrivés au lever du jour dans un petit bois où nous avons installé le campement en postant des sentinelles aux différents points d'approche. Les 40 hommes se sont éloignés par un cañon que nous avions l'intention de prendre, en tirant quelques coups de feu. A 14 heures on a entendu les derniers coups de feu ; on dirait qu'il n'y a personne dans les petites maisons, bien qu'Urbano ait vu descendre 5 soldats qui ont continué leur chemin sans qu'on ait pu voir où ils allaient. J'ai décidé de rester une journée de plus ici car l'endroit est bon et permet une retraite sûre étant donné qu'on domine de là tous les mouvements de la troupe ennemie. Pacho, avec Nato, Dario et Eustaquio ont été chercher de l'eau et sont revenus à 21 heures. Chapaco a préparé des trucs frits et on a distribué un peu de charqui, grâce à quoi nous n'avons pas senti la faim.

Il n'y a pas eu de nouvelles.

2

Antonio

Pas la moindre trace des soldats de la journée, mais des

chevreaux, conduits par des chiens bergers sont passés près de nos positions et ces derniers ont aboyé. Nous avons décidé d'essayer de contourner un des chacos, le plus proche du cañon et nous avons commencé à descendre vers 18 heures, ce qui nous laissait le temps d'arriver tranquillement et de faire la cuisine avant de traverser, sauf qu'el Nato s'est perdu et s'est entêté à poursuivre. Quand nous avons décidé de revenir nous nous sommes perdus et nous avons passé la nuit en haut, sans pouvoir faire la cuisine et en ayant très soif. La radio nous a apporté l'explication du déploiement des soldats, le 30, d'après des nouvelles diffusées par La Cruz del Sur, l'Armée a annoncé avoir eu un engagement à Obra del Quiñol avec un petit groupe de nos hommes, sans qu'il y ait eu de pertes d'un côté ni de l'autre, bien qu'ils déclarent avoir trouvé des traces de sang après notre fuite. Le groupe se composait de six individus, d'après le même communiqué.

3

Longue journée et tendue sans nécessité : au moment où nous nous préparions à aller à notre campement de base, Urbano est arrivé annonçant qu'il avait entendu des paysans qui passaient dire : « c'est ceux-là dont on parlait hier soir », pendant que nous étions en route. L'information avait évidemment l'air inexacte, mais j'ai décidé de faire comme si elle était parfaitement vraie et sans étancher notre soif nous sommes remontés en haut d'une colline qui domine le chemin des soldats. Le reste de la journée a été parfaitement calme et, à la tombée de la nuit nous sommes tous descendus et nous avons fait du café qui nous a paru d'une saveur divine malgré l'eau amère et la casserole grasse dans laquelle on l'avait fait, ensuite on a préparé de la farine pour manger là et du riz avec de la viande de tapir, à emporter. A 3 heures nous nous sommes mis en route après avoir fait une reconnaissance et nous avons très facilement évité le chaco pour tomber dans la gorge choisie où il n'y avait pas d'eau et qui ne présentait pas de trace d'avoir été explorée par les soldats.

La radio a annoncé que deux hommes avaient été faits prisonniers : Antonio Domìnguez Flores (Léon) et Orlando Jiménez Bazán (Camba) celui-ci reconnaît avoir lutté contre l'armée ; l'autre déclare qu'il se rend confiant dans la parole présidentielle. Tous les deux donnent d'abondants renseignements sur Fernando, sa maladie et tout le reste, sans compter ce qu'ils ont pu dire et qui n'est pas rendu public. Ainsi prend fin l'histoire de deux guérilleros héroïques.

h = 1 360 ms

On a entendu une interview de Debray, très courageux, face à un étudiant provocateur.

4

Après nous être reposés dans la gorge, nous l'avons suivie une demie-heure en la redescendant jusqu'au moment où nous en avons rencontré une autre qui la rejoint, par laquelle nous sommes montés, et nous nous sommes reposés jusqu'à 15 heures pour fuir le soleil. A cette heure là nous avons repris notre marche un peu plus d'une demie-heure ; là se trouvaient les explorateurs qui avaient fini par arriver jusqu'au bout des cañons sans trouver d'eau. A 18 heures nous avons abandonné la gorge et nous avons continué par un sentier de chèvre jusqu'à 19 h 30, heure à laquelle on ne voyait plus rien et nous y sommes restés jusqu'à 3 heures du matin.

La radio donne des nouvelles du changement de position de l'Etat Major de la 4e Division avancée de Lagunillas à Padilla pour mieux surveiller la zone de Serrano où l'on suppose que les guérilleros peuvent aller se réfugier et déclare que si les forces de la 4e division me prennent, on me jugera à Camiri et si ce sont celles de la 8e, on me jugera à Santa Cruz.

h = 1 650 m.

5

Quand nous avons repris la marche, nous avons avancé difficilement jusqu'à 5 h 15, à ce moment là nous avons abandonné le sentier de chèvres pour nous enfoncer dans un petit bois dont les arbres étaient tout de même assez hauts pour nous protéger des regards indiscrets. Benigno et Pacho ont fait plusieurs reconnaissances, cherché de l'eau et tourné autour de la maison voisine sans la trouver. Il doit probablement y avoir un petit puits à côté. Comme ils finissaient d'explorer les lieux, ils ont vu arriver 6 soldats vers la maison, de passage, semble-t-il. Nous sommes sortis à la tombée de la nuit avec les hommes épuisés par le manque d'eau et Eustaquio se donnant en spectacle et pleurant une gorgée d'eau. Après un chemin très mauvais et jalonné d'arrêts nous sommes arrivés au lever du jour à un petit bois d'où l'on entendait aboyer les chiens du voisinage. On aperçoit une colline pelée et haute, très près.

Nous avons donné des soins à Benigno dont la blessure suppure un peu et j'ai fait une piqûre au Médecin. Résultat de mes soins, Benigno s'est plaint de douleurs dans la nuit.

La radio a fait savoir que nos deux cambas ont été trans-

férés à Camiri pour servir de témoins dans l'affaire Debray.
h = 2 000 ms.

6

Une exploration des lieux nous a appris que nous étions tout près d'une maison, mais aussi qu'il y en avait une un peu plus loin où il y avait de l'eau. Nous nous y sommes rendus et nous avons cuisiné toute la journée sous une grande pierre plate qui servait de toit bien que je n'aie pas été tranquille parce que nous nous trouvions en plein jour près d'endroits quelque peu habités et que nous restions dans un creux. Comme le repas a traîné, nous avons décidé de partir au petit matin et d'aller jusqu'à un affluent proche de ce petit torrent et de là de faire une reconnaissance plus sérieuse des lieux pour décider de la direction que nous allions prendre.

La Cruz del Sur a parlé d'une interview des Cambas ; Orlando a été un peu moins moche. La radio chilienne fait état d'une nouvelle censurée comme quoi il y a 1 800 hommes dans la région à nos trousses.
h = 1 750 ms

7

Les 11 mois depuis lesquels nous avons commencé la guérilla se sont terminés sans complications, bucoliquement, jusqu'à 12 h. 30, heure à laquelle une vieille est venue garder ses chèvres dans le cañon où nous campions et nous avons dû la faire prisonnière. La femme ne nous a donné aucune nouvelle digne de foi concernant les soldats, elle a simplement répondu qu'elle ne savait pas, qu'il y avait longtemps qu'elle n'allait plus par là. Elle nous a simplement donné des renseignements sur les chemins ; d'après ce qu'elle dit, il apparaît que nous sommes à peu près à une lieue de Higueras, à une lieue de Jagüey et à environ 2 lieues de Pucara. A 17 h 30, Inti, Aniceto et Pablito ont été chez la vieille qui a une fille goîtreuse et à moitié naine ; on leur a donné 50 pesos en leur demandant de ne pas dire un mot, mais sans beaucoup d'espoir qu'elles tiennent leur promesse. Nous sommes partis à 17 heures avec un faible clair de lune et la marche a été très pénible et en laissant beaucoup de traces dans le cañon où nous étions et où il n'y a pas de maisons proches, mais où il y a des champs de pommes de terre irrigués par des canaux venant du torrent. A 2 heures nous nous sommes arrêtés pour nous reposer, car ça ne valait déjà plus la peine de continuer à avancer. El Chino devient vraiment un poids quand il faut marcher de nuit.

L'armée a donné une information bizarre au sujet de la présence de 250 hommes à Serrano qui doivent empêcher le passage des guérilleros encerclés, au nombre de 37, et a situé la zone où nous sommes réfugiés entre l'Acero et l'Oro. La nouvelle a l'air de vouloir être une diversion.
h = 2 000 ms.

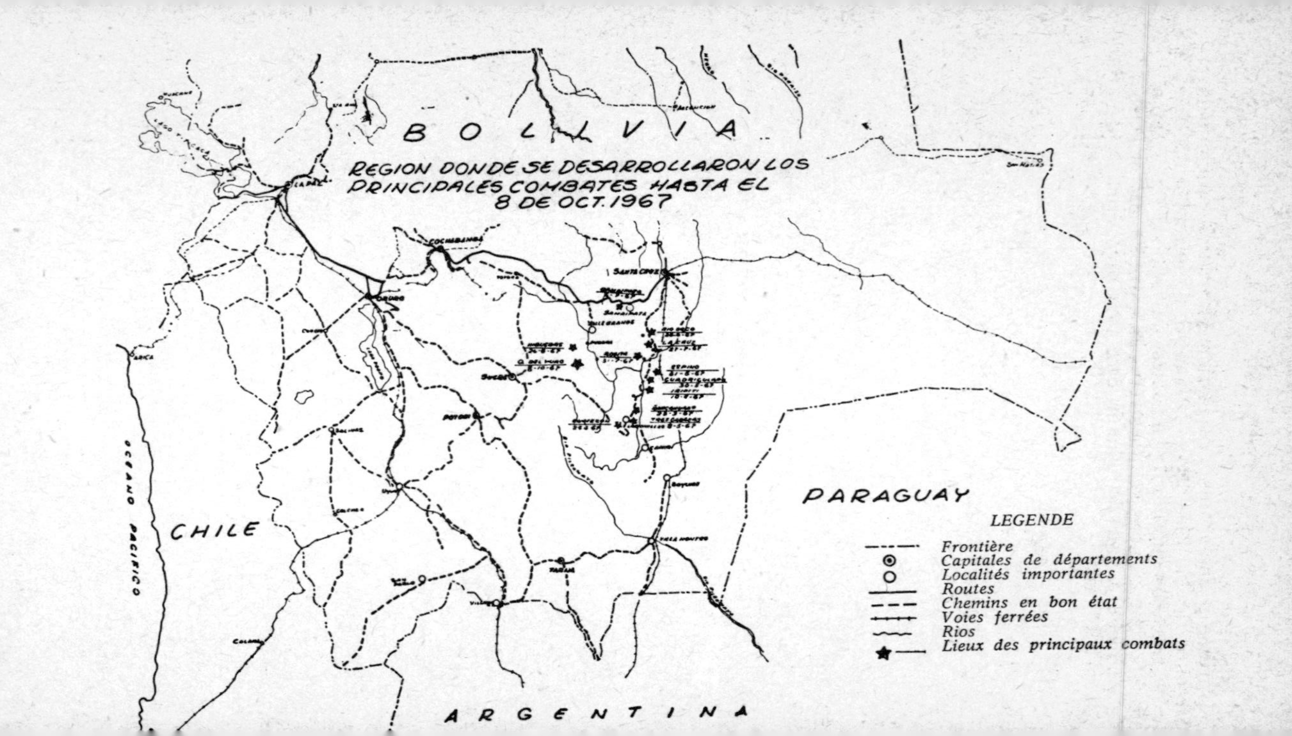
BOLIVIA
REGION DONDE SE DESARROLLARON LOS PRINCIPALES COMBATES HASTA EL 8 DE OCT. 1967
PARAGUAY
CHILE
ARGENTINA
OCEANO PACIFICO
LEGENDE
Frontière
Capitales de départements
Localités importantes
Routes
Chemins en bon état
Voies ferrées
Rios
Lieux des principaux combats

ANNEXES

Communiqué nº 1 : Au peuple bolivien

Face au mensonge réactionnaire, la vérité révolutionnaire

Après avoir assassiné des ouvriers et préparé le terrain pour livrer toutes nos richesses à l'impérialisme nord-américain, le groupe de gorilles usurpateurs a leurré le peuple par une farce électorale. Lorsque sonne l'heure de la vérité et que le peuple se soulève en armes, répondant à l'usurpation armée par la lutte armée, il prétend poursuivre son tournoi de mensonges.

A l'aube du 23-3, des forces de la IVe Division, cantonnées à Camiri et comprenant environ 35 hommes sous le commandement du major Hernan Plata Rios, se sont engagés en territoire guérillero par le lit de la rivière Nacaguaso. Le groupe entier est tombé dans une embuscade préparée par nos forces. Comme résultat de l'opération, 25 armes de tous types, y compris 3 mortiers de 60 mm. avec leur dotation d'obus, d'abondantes munitions et du matériel divers sont restés entre nos mains.

Nous avons causé à l'ennemi 7 morts, dont un lieutenant, et fait 14 prisonniers dont 5, blessés au cours du combat, ont été soignés par nos services sanitaires avec toute l'efficacité que nous permettent nos moyens.

Tous les prisonniers ont été mis en liberté après une explication des idéaux de notre mouvement.

Voici la liste des pertes ennemies :

Morts : Pedro Romero, Auben Amenazaga, Juan Alvarado, Cecilio Marquez, Amador Almasan, Santiago Gallardo et le délateur et guide de l'armée nommé Vargas.

Prisonniers : Major Hernan Plata Rios, cap. Eugenio Silva, soldats Edgar Torrico Panoso, Lido Machicado Toledo, Gabriel Duran Ecobar, Armando Martinez Sanchez, Felipe Bravo Siles, Juan Ramos Martinez, Leoncio Espinosa Posada, Miguel Rivero, Eleuterio Sanchez, Adalberto Martinez, Eduardo Rivera et Guido Terceros.

Les cinq derniers, blessés dans le combat.

En rendant publique la première opération de guerre, nous établissons ce qui sera une norme de notre armée : la vérité révolutionnaire. Nos faits ont démontré la justesse de nos paroles. Nous regrettons le sang innocent versé par les soldats tombés, mais avec des mortiers et des mitrailleuses, on ne construit pas de viaducs pacifiques, comme l'affirment les fantoches en uniformes galonnés, prétendant nous créer une légende de vulgaires assassins. Pas un seul paysan n'a eu et n'aura l'occasion de se plaindre de la façon dont nous l'avons traité et de la façon dont nous avons obtenu notre ravitaillement, à l'exception de ceux qui, trahissant leur classe, se prêteront à servir de guides ou de délateurs.

Les hostilités sont ouvertes. Dans de futurs communiqués, nous fixerons clairement notre position révolutionnaire. Aujourd'hui, nous faisons appel aux ouvriers, paysans, aux intellectuels, à tous ceux qui sentent que l'heure a sonné de répondre à la violence par la violence, de délivrer un pays vendu en tranches aux monopoles yankees, et d'élever le niveau de vie de notre peuple de jour en jour plus affamé.

ARMÉE DE LIBÉRATION NATIONALE DE BOLIVIE

Communiqué n° 2 : Au peuple bolivien

Face au mensonge réactionnaire, la vérité révolutionnaire

Dans la matinée du 10-4-67, la patrouille ennemie conduite par le lieutenant Luis Saavedra Arombal et composée en majorité de soldats du CITE, est tombée dans une embuscade. Ledit officier et les soldats Angel Flores et Zenon Prada Mendieta ont été tués au cours de l'accrochage ; le guide Ignacio Husarima, du régiment Boqueron, a été blessé et fait prisonnier avec 5 autres soldats et un sous-officier. Quatre soldats ont réussi à échapper à l'embuscade, informant la base de la compagnie du major Sanchez Castro qui, avec un renfort de 60 hommes d'une unité voisine, est venu à l'aide de ses camarades. Il a été surpris par une autre embuscade qui a coûté la vie au lieutenant Hugo Ayala, au sous-officier Raul Camejo et aux soldats José Vijabriel, Marcello Maldonado, Jaime Sanabria ainsi qu'à deux autres que nous n'avons pu identifier.

Les soldats blessés dans cette opération sont : Armando Quiroga, Alberto Carvajal, Fredy Aloye, Justo Cervantes et Bernabé Mandejara ; il sont été faits prisonniers ainsi que le commandant de la compagnie, le major Ruben Sanchez Castro, et 16 autres soldats.

Suivant une norme de l'ELN, nous avons soigné les blessés avec nos faibles moyens et nous avons remis en liberté tous les prisonniers après leur avoir expliqué les objectifs de notre lutte révolutionnaire.

Les pertes de l'armée ennemie se résument ainsi : 10 morts, dont deux lieutenants ; 30 prisonniers, y compris le major Sanchez Castro, dont 6 blessés. Le butin de guerre est en proportion avec les pertes ennemies et comprend un mortier de 60 mm., des fusils mitrailleurs, des fusils, des carabines M-1 et des mitraillettes, toutes les armes avec leurs munitions.

De notre côté, nous déplorons un mort, disparité de pertes compréhensible si l'on tient compte du fait que dans tous les combats, nous avons choisi le moment et le lieu de leur déclenchement et que les chefs de l'armée bolivienne envoient des conscrits, presque des enfants à l'abattoir, tandis qu'ils inventent des communiqués à La Paz et se frappent la poitrine à des funérailles démagogiques, dissimulant le fait qu'ils sont les véritables coupables du sang qui coule en Bolivie. Maintenant, ils se démasquent et commencent à appeler des « assesseurs » nord-américains ; c'est ainsi qu'a débuté la guerre du Vietnam qui saigne ce peuple héroïque et met en danger la paix du monde. Nous ignorons combien ils enverront d' « assesseurs » contre nous (nous saurons leur faire face), mais nous alertons le peuple des dangers qu'implique cette action entreprise par les militaires bradeurs.

Nous appelons les jeunes recrues à suivre les instructions suivantes : dès le début du combat, jetez l'arme de côté et mettez-vous les mains sur la tête ; restez sans bouger à l'endroit où le feu vous aura surpris ; n'avancez jamais au devant de la colonne pendant les marches d'approche aux zones de combat ; obligez les officiers qui vous incitent à combattre à occuper cette position extrêmement dangereuse. Nous tirerons toujours, et pour tuer, contre l'avant-garde. Pour aussi douloureux qu'il nous soit de voir le sang versé par d'innocentes recrues, c'est une impérieuse nécessité de la guerre.

ARMÉE DE LIBÉRATION NATIONALE DE BOLIVIE

Communiqué n° 3 : Au peuple bolivien

Face au mensonge réactionnaire, la vérité révolutionnaire

Le 8 mai, dans la zone guérillera de Nacaguasu, des forces d'une compagnie mixte sous le commandement du sous-lieutenant Henry Laredo sont tombées dans une embuscade. Au cours de cette opération, cet officier et les élèves de l'école de classes Roman Arroyo Flores et Luis Pelaez ont trouvé la mort, et les soldats suivants ont été faits prisonniers :

José Camacho Rojas, Rég. Bolivar.
Nestor Cuentas, Rég. Bolivar.
Waldo Veizaga, Ecole de classes.
Hugo Soto Lora, Ecole de classes.
Max Torres Leon, Ecole de classes.
Roger Rojas Toledo, Rég. Braun.
Javier Mayan Corella, Rég. Braun.
Nestor Sanchez Cuellar, Rég. Braun.

Les deux derniers ont été blessés car ils n'ont pas répondu à l'ordre de halte lorsqu'ils furent surpris au cours d'une opération préalable. Comme d'habitude, les prisonniers ont été mis en liberté après explication des buts et fins de notre lutte. Sept carabines M-1 et 4 fusils Mauser ont été récupérés. Nos forces sont sorties indemnes de cette opération.

Les communiqués de l'armée répressive annonçant la mort de guérilleros sont fréquents, mêlant certains éléments vrais en ce qui concerne leurs pertes reconnues à beaucoup d'imagination en ce qui concerne les nôtres. Désespérée par son impuissance, elle recourt à des mensonges ou s'acharne sur des journalistes, qui, en raison de leurs caractéristiques idéologiques, sont des adversaires naturels du régime, leur imputant tous les maux dont il souffre.

Nous voulons signaler que l'ELN de Bolivie est la seule responsable de la lutte armée dans laquelle elle a pris la tête de son peuple, lutte qui ne prendra fin qu'avec la victoire définitive, occasion où nous saurons faire payer tous les crimes qui se commettent dans le cours de la guerre, indépendamment des mesures de représailles que le commandement de notre armée jugera opportunes de prendre devant tout acte de vandalisme des forces répressives.

ARMÉE DE LIBÉRATION NATIONALE DE BOLIVIE

Communiqué n° 4 : Au peuple bolivien

Face au mensonge réactionnaire, la vérité révolutionnaire

Dans de récents communiqués, les forces armées ont reconnu quelques-unes de leurs pertes dans des accrochages d'avant-garde, en nous octroyant, comme à son habitude une bonne quantité de morts qui ne sont jamais montrés. Bien qu'il nous manque les rapports de quelques patrouilles, nous pouvons assurer que nos pertes sont très faibles et que nous n'en avons eu aucune durant les récentes opérations reconnues par l'armée.

Inti Peredo est effectivement membre du commandement de notre armée, où il occupe la charge de commissaire politique, et plusieurs opérations ont eu lieu récemment sous son commandement. Il est en bonne santé et n'a été atteint par aucune balle ennemie ; l'annonce sans fondement de sa mort est un exemple tangible des absurdes mensonges que répandent les forces armées dans leur impuissance à lutter contre notre armée.

Quant aux informations relatives à la présence dans notre armée de combattants originaires d'autres pays américains, pour raisons de secret militaire et de notre devise de vérité révolutionnaire, nous ne donnerons pas de chiffres mais nous formulerons seulement un éclaircissement : n'importe quel citoyen qui accepte notre programme minimum conduisant à la libération de la Bolivie, est accepté dans les rangs révolutionnaires avec les mêmes droits et devoirs que les combattants boliviens qui, naturellement, constituent l'immense majorité de notre mouvement. Tout homme qui lutte les armes à la main pour la liberté de notre patrie mérite et reçoit l'honorable titre de Bolivien, indépendamment de son lieu de naissance. C'est ainsi que nous interprétons le véritable internationalisme révolutionnaire.

ARMÉE DE LIBÉRATION NATIONALE DE BOLIVIE

Message pour le 26 juillet, s'il arrive à temps

Camarade Fidel Castro,

Depuis l'est de la Bolivie où nous luttons pour répéter d'anciennes épopées nationales, inspirés par l'exemple moderne de la révolution cubaine, porte-drapeau des peuples opprimés du monde, notre salut fraternel et chaleureux part s'unir à celui de millions d'êtres humains qui considèrent cette date comme le début de la dernière étape de la libération de l'Amérique.

Recevez vous-même, vos camarades et tout votre peuple, le témoignage de notre dévotion sans réserves à la cause commune et nos félicitations à l'occasion d'une nouvelle année de lutte intransigeante contre l'impérialisme nord-américain. INTI Commissaire Politique du Commandement de l'ELN.B.

Ajouter : Nouvel échec dans la tentative d'établir le contact. Nous avons perdu Tuma et Papi et un Bolivien du groupe de Guevara. Nous n'avons pas de nouvelles du sort de celui-ci : nous sommes toujours coupés de Joaquin. Pombo et Pacho avec des blessures légères mais sans pouvoir marcher. La paysannerie traverse une étape de crainte et la légende de la guérilla grandit comme de l'écume. Nous essaierons de nous unir à Joaquin pour entreprendre de nouvelles aventures. Ne laissez pas créer un autre front.

Communiqué n° 5 : Aux mineurs de Bolivie

Camarades,

Une fois de plus, le sang prolétaire coule dans nos mines. Dans une exploitation plusieurs fois séculaire, après la succion du sang esclave du mineur, ce sang coulait chaque fois que tant d'injustice provoquait une explosion de protestation ; cette répétition cyclique n'a pas changé au long de centaines d'années.

Au cours des dernières années, le rythme s'est transitoirement brisé et les ouvriers insurgés ont constitué le facteur fondamental du triomphe du 9 avril[1]. Cet événement amena l'espoir d'un nouvel horizon et l'on crut qu'enfin, les ouvriers allaient être maîtres de leur propre destin, mais le mécanisme du monde impérialiste a enseigné, à ceux qui ont voulu l'apprendre, qu'en matière de révolution sociale, il ne peut y avoir de demi-mesures : ou l'on prend tout le pouvoir, ou alors on perd les avantages obtenus par tant de sacrifices et de sang.

Aux milices armées du prolétariat minier, unique facteur de force au début, vinrent s'ajouter des milices d'autres secteurs de la classe ouvrière, de déclassés et de paysans, dont les membres n'ont pas su voir l'essentielle communauté d'intérêt et sont entrés en conflit, manœuvrés par la démagogie

1. 9 avril 1952 : date de la révolution de Paz Estenssoro.

antipopulaire et, finalement, l'armée professionnelle est réapparue, avec sa peau de mouton et ses griffes de loup. Et cette armée, petite et archaïque au début, est devenue le bras armé contre le prolétariat et le plus sûr complice de l'impérialisme ; c'est pourquoi celui-ci donna son agrément au coup d'Etat militaire.

Maintenant, nous nous remettons de la défaite provoquée par la répétition d'erreurs tactiques de la classe ouvrière et nous préparons patiemment le pays à une profonde révolution qui transformera radicalement le système.

On ne doit pas persister dans des tactiques fausses, héroïques certes mais stériles, qui plongent le prolétariat dans un bain de sang et éclaircissent ses rangs, nous privant de ses éléments les plus combatifs.

Au cours de longs mois de lutte, les guérillas ont convulsionné le pays, occasionné une grande quantité de pertes à l'armée et l'ont démoralisée, sans souffrir pratiquement elles-mêmes de pertes. Au cours d'un affrontement de quelques heures, cette même armée reste maître du terrain et se pavane sur les morts prolétaires. La différence entre la tactique juste et la tactique erronée est celle qui existe entre la victoire et la défaite.

Camarade mineur, n'écoute plus les faux apôtres de la lutte de masse qui interprètent celle-ci comme une marche du peuple, compacte et de front contre les armes de l'oppression. Apprenons de la réalité ! Contre les mitrailleuses, les poitrines héroïques ne peuvent rien ; contre les armes modernes de démolition, les barricades, aussi bien construites soient-elles, ne peuvent rien.

La lutte de masse dans les pays sous-développés, qui ont une population fondamentalement paysanne et de vastes territoires, doit être menée par une petite avant-garde mobile : la guérilla, établie au sein du peuple, qui acquerra de la force au détriment de l'armée ennemie et catalysera la ferveur révolutionnaire des masses jusqu'à créer la situation révolutionnaire dans laquelle le pouvoir d'Etat s'écroulera sous la force d'un seul coup, bien porté et au moment opportun.

Que l'on nous comprenne bien : nous n'appelons pas à l'inactivité totale ; nous recommandons de ne pas engager des forces dans des actions dont le succès n'est pas assuré mais, cependant, la pression des masses contre le gouvernement doit s'exercer continuellement, car il s'agit d'une lutte de classes sans fronts limités. Quel que soit l'endroit où il se trouve, un prolétaire a l'obligation de lutter dans la mesure de ses forces contre l'ennemi commun.

Camarade mineur, les guérillas de l'ELN t'attendent les bras ouverts et t'invitent à t'unir aux travailleurs du sous-sol qui luttent à nos côtés. Ici, nous reconstruirons l'alliance de la classe ouvrière et de la paysannerie, qui a été rompue par la démagogie antipopulaire ; ici, nous transformerons la défaite en triomphe et les larmes des veuves prolétaires en un hymne de victoire.

Nous t'attendons.

E L N

Instructions pour les cadres destinés au travail urbain

La formation d'un réseau d'appui ayant le caractère que nous voulons lui donner doit suivre un certain nombre de règles dont nous allons exposer les lignes générales.

L'action sera fondamentalement clandestine, mais elle alternera avec certains types de tâches pour lesquelles il est nécessaire d'avoir des contacts avec des individus ou des organismes qui obligeront certains cadres à sortir à la surface. Cela oblige à être très strict dans le compartimentage et l'isolement de chacun des fronts de travail.

Le travail des cadres doit être strictement régi par la ligne générale de conduite ordonnée par le commandement de l'armée au travers des centres dirigeants, mais ils auront toute liberté quant à la forme pratique d'appliquer cette ligne.

Afin de pouvoir réaliser les difficiles tâches dont il sera chargé, et survivre, le cadre clandestin doit faire preuve à un haut degré des qualités suivantes : discipline, hermétisme, dissimulation, contrôle de soi et sang-froid, et avoir des méthodes de travail le mettant à couvert de contingences inattendues.

Tous les camarades faisant des travaux semi-publics dépendront d'un échelon supérieur clandestin qui leur donnera les instructions et contrôlera leur travail.

Dans la mesure du possible, aussi bien le chef du réseau que les différents responsables auront une seule fonction, et les contacts horizontaux se feront par l'intermédiaire du chef. Le minimum de charges pour un réseau déjà organisé est :

Le chef.

I Un responsable du Ravitaillement.
II Un responsable des Transports.
III Un responsable de l'Information.
IV Un responsable des Finances.
V Un responsable de l'Action Urbaine.
VI Un responsable des sympathisants.

A mesure qu'il se développera, le réseau aura besoin d'un

de notre armée, les points de contact avanceront vers la ville et la zone de contrôle direct de l'armée augmentera proportionnellement, dans un long processus qui connaîtra des hauts et des bas et dont le développement, comme celui de cette guerre, se mesure en années.

Le commandement du réseau résidera dans la capitale ; de là, il s'organisera ensuite dans les villes qui sont pour le moment les plus importantes pour nous : Cochabamba, Santa Cruz, Sucre, Camiri, c'est-à-dire le rectangle qu'englobe notre zone d'opérations. Les responsables de ces quatre villes doivent être, dans la mesure du possible, des cadres ayant fait leurs preuves ; ils se chargeront d'une organisation similaire mais plus simplifiée. Ravitaillement et transports sous une direction, finances et sympathisants sous une autre ; une troisième pour l'action urbaine, et l'on peut supprimer l'information, le chef local s'en chargeant. L'action urbaine se liera de plus en plus à notre armée au fur et à mesure que le territoire sous contrôle de celle-ci se rapprochera de la ville en question, jusqu'à se transformer en guérilla suburbaine dépendant du commandement militaire.

A partir de ces villes, le réseau s'étendra sous la forme déjà décrite.

On ne doit pas oublier non plus le développement du réseau dans des villes aujourd'hui éloignées de notre champ d'action, où l'on doit tâcher d'obtenir l'appui de la population et se préparer déjà à de futures actions. Oruro et Potosi appartiennent à cette catégorie et sont les plus importantes.

Une attention particulière doit être accordée aux points frontaliers. Villazon et Tarija pour les contacts de ravitaillement depuis l'Argentine ; Santa Cruz pour le Brésil ; Huaqui ou tout autre point de la frontière péruvienne ; un point de la frontière chilienne.

Pour l'organisation du réseau de ravitaillement il conviendra de compter sur des militants fermes ayant exercé auparavant une profession semblable à l'activité qui leur est confiée maintenant.

Par exemple, un propriétaire de magasin organiserait le ravitaillement ou participerait à cette section du réseau ; un propriétaire d'entreprise de transports organiserait cette branche, etc.

Au cas où l'on n'y parvient pas, il faut essayer de mettre progressivement l'appareil en place avec patience, sans précipiter les événements afin d'éviter que pour installer un poste avancé sans garanties suffisantes, on perde celui-ci et on en compromettre d'autres.

Il faut organiser les fabriques ou commerces suivants :

Epiceries (La Paz, Cochabamba, Santa Cruz, Camiri).

Entreprises de transports (La Paz-Santa Cruz ; Santa Cruz-Camiri ; La Paz-Sucre ; Sucre-Camiri).

lyser toutes les dépenses jusqu'au dernier peso, évitant de remettre un seul centime sans cause justifiée. Par ailleurs, il sera chargé d'administrer les sommes provenant de collectes ou d'impôt et d'organiser leur recouvrement.

Le responsable des finances sera sous les ordres du chef du réseau, mais il sera également son inspecteur en ce qui concerne les dépenses. Il découle de tout ceci que le responsable des finances devra être idéologiquement très ferme.

La tâche des responsables de l'action urbaine s'étend à tout ce qui est action armée dans la ville : supression d'un délateur, d'un tortionnaire connu ou d'un dirigeant du régime, enlèvement pour obtenir une rançon, sabotage de centres d'activités économiques du pays, etc. Toutes les opérations seront ordonnées par le chef de réseau : le responsable de l'action urbaine ne pourra pas agir sur sa propre initiative, sauf en cas d'extrême urgence.

Le responsable des sympathisants aura les fonctions les plus publiques au sein du réseau et il sera en contact avec des éléments peu fermes, ceux qui lavent leur conscience en remettant de l'argent ou en donnant des contributions qui ne les compromettent pas. Ce sont des gens avec qui on peut travailler, mais sans jamais oublier que leur appui sera conditionné par le danger qu'ils peuvent encourir. Il faut donc agir en conséquence, en essayant de les transformer lentement en militants actifs et en les incitant à donner des contributions substantielles au mouvement, non seulement sous forme d'argent mais aussi de médicaments, de caches, d'informations, etc.

Dans ce genre de réseau, certains doivent travailler en étroite liaison ; par exemple, le responsable des transports sera organiquement lié à celui du ravitaillement, qui sera son chef immédiat ; le responsable des sympathisants dépendra de celui des finances ; ceux de l'action urbaine et de l'information travailleront en contact direct avec le chef du réseau.

Les réseaux seront sujets à l'inspection de cadres envoyés directement par l'armée. Ceux-ci n'ont pas de fonction exécutive mais vérifieront si les instructions et les normes dictées sont appliquées.

Les réseaux devront « marcher » à la rencontre de l'armée de la manière suivante :

Le commandement supérieur donne les ordres au chef du réseau ; celui-ci se charge d'organiser le réseau dans les villes importantes d'où partent des ramifications vers les villages, et des villages vers les hameaux ou les maisons de paysans qui entreront en contact avec notre armée et où se produira la remise directe de ravitaillement, d'argent ou d'informations.

Au fur et à mesure de l'extension de la zone d'influence

de notre armée, les points de contact avanceront vers la ville et la zone de contrôle direct de l'armée augmentera proportionnellement, dans un long processus qui connaîtra des hauts et des bas et dont le développement, comme celui de cette guerre, se mesure en années.

Le commandement du réseau résidera dans la capitale ; de là, il s'organisera ensuite dans les villes qui sont pour le moment les plus importantes pour nous : Cochabamba, Santa Cruz, Sucre, Camiri, c'est-à-dire le rectangle qu'englobe notre zone d'opérations. Les responsables de ces quatre villes doivent être, dans la mesure du possible, des cadres ayant fait leurs preuves ; ils se chargeront d'une organisation similaire mais plus simplifiée. Ravitaillement et transports sous une direction, finances et sympathisants sous une autre ; une troisième pour l'action urbaine, et l'on peut supprimer l'information, le chef local s'en chargeant. L'action urbaine se liera de plus en plus à notre armée au fur et à mesure que le territoire sous contrôle de celle-ci se rapprochera de la ville en question, jusqu'à se transformer en guérilla suburbaine dépendant du commandement militaire.

A partir de ces villes, le réseau s'étendra sous la forme déjà décrite.

On ne doit pas oublier non plus le développement du réseau dans des villes aujourd'hui éloignées de notre champ d'action, où l'on doit tâcher d'obtenir l'appui de la population et se préparer déjà à de futures actions. Oruro et Potosi appartiennent à cette catégorie et sont les plus importantes.

Une attention particulière doit être accordée aux points frontaliers. Villazon et Tarija pour les contacts de ravitaillement depuis l'Argentine ; Santa Cruz pour le Brésil ; Huaqui ou tout autre point de la frontière péruvienne ; un point de la frontière chilienne.

Pour l'organisation du réseau de ravitaillement il conviendra de compter sur des militants fermes ayant exercé auparavant une profession semblable à l'activité qui leur est confiée maintenant.

Par exemple, un propriétaire de magasin organiserait le ravitaillement ou participerait à cette section du réseau ; un propriétaire d'entreprise de transports organiserait cette branche, etc.

Au cas où l'on n'y parvient pas, il faut essayer de mettre progressivement l'appareil en place avec patience, sans précipiter les événements afin d'éviter que pour installer un poste avancé sans garanties suffisantes, on perde celui-ci et on en compromettre d'autres.

Il faut organiser les fabriques ou commerces suivants :

Epiceries (La Paz, Cochabamba, Santa Cruz, Camiri).

Entreprises de transports (La Paz-Santa Cruz ; Santa Cruz-Camiri ; La Paz-Sucre ; Sucre-Camiri).

Cordonneries (La Paz, Santa Cruz, Camiri, Cochabamba).
Confection (idem).
Ateliers de mécanique (La Paz, Santa Cruz).
Fermes (Chapare-Caranavi).

Les deux premiers permettraient le ramassage et le transport du ravitaillement sans attirer l'attention et en y dissimulant du matériel de guerre. Les cordonniers et ateliers de confection pourraient réaliser la double tâche d'acheter et de fabriquer pour nous, toujours sans attirer l'attention. L'atelier de mécanique aurait le même rôle avec le matériel de guerre, et les terres nous serviraient de base d'appui pour d'éventuels transports et pour que les employés commencent la propagande parmi les paysans.

Il est utile de souligner une fois de plus la fermeté idéologique dont doivent faire preuve ces cadres, ne recevant du mouvement révolutionnaire que le strict nécessaire et lui consacrant tout leur temps et aussi leur liberté, ou leur vie même s'il le faut. C'est seulement ainsi que nous arriverons à former le réseau efficace nécessaire à la réalisation de nos plans ambitieux : la libération totale de la Bolivie.

Messages reçus par le Commandant Che Guevara

N° 32

Avons reçu câble Danton nous communiquant qu'il est arrivé à celle-là et vous a contactés. Ramiro Reinaga part le 11 et emporte valise avec glucantine. Il entrera par Santa Cruz où il restera 2 jours et continuera La Paz pour prendre contact avec Dr Coco. D'accord pour s'incorporer. Reinaga est connu de Boliviens dans celle-là. Ariel.

10 mars

N° 34

Ramon,

Depuis 20 mars, dépêches agences internationales provenant La Paz informent accrochage à Monteagudo entre guérilla et armée. Bilan 1 mort armée et 1 Cubain et deux Boliviens guérilleros prisonniers plus armement moderne et appareil radio saisis. Grande mobilisation d'effectifs vers cette zone est annoncée ; dernières dépêches mêlent dirigeants Rojas, paysan, et Lechin aux guérillas. De même, dépêches

spéculent sur possible direction Che dans... guérilla. Toute l'information que possédons jusqu'à aujourd'hui.
Ariel.

23 mars

N° 35

Ramon,

Evénements dans celle-là (1) ont eu grande répercussion internationale. Agences de presse font campagne sur combats guérilla, capture prisonniers à l'armée et déclarations de ceux-ci après leur mise en liberté favorables au sujet du traitement reçu de la part des guérilleros. Calcul force guérilla à 400-500 hommes expérience et connaissance du terrain de la part des guérillas, participation d'Argentins, Péruviens, Cubains, Boliviens, Chinois et Européens à celles-ci ; essaient ôter du crédit à possible direction de Che ; signalent Coco Peredo comme figure principale du fait qu'a acheté propriété ; informent arrestation complices guérilla et soutien reçu de la part de femmes de la ville, parmi lesquelles Tania dont donnent le signalement avec nom, document d'identité et pseudonyme ; Tania en fuite ; semble qu'il s'agit délation d'un détenu. On ne parle pas d'Ivan. Sortie une déclaration du Parti Communiste signée par Monje et Kolle se solidarisant avec guérilla. Lechin dans celle-ci ; on lui a expliqué dimensions stratégiques guérilla et informé que tu la diriges. Cela l'a ... enthousiasmé. Il appuiera avec des gens pour le maquis et fera déclarations de soutien. Il entrera clandestinement dans le pays dans 20 jours-un mois et restera. T'enverrons prochainement moyens de contacts... Entretien personnel serait souhaitable quand ce sera possible. Il enverra des gens s'entraîner dans celle-ci. Avons besoin ton autorisation pour mettre ta signature sur appel pour organiser Comité International appui Vietnam... créé sur initiative Bertrand Russell. Le document est bon et radical. Pensions te l'envoyer mais impossible dans circonstances actuelles car besoin de le publier tout de suite. Sera signé par nombreuses personnalités. Cette organisation pourra beaucoup servir dans l'avenir appui à mouvements latino-américains. Pensons promouvoir large appui public international mouvement guérillero bolivien.

Félicita...
13-5-67

(1) « Celle là » : La Bolivie.

N° 36

Ramon,

Ivan arrivé dans celle-ci malade. Parti de celle-là six jours avant l'expiration de son permis de séjour. A laissé conditions pour revenir et ne s'est pas grillé légalement. Verrons possibilité son retour aussitôt guéri. A laissé Rodolfo et Pareja bien quoique désorientés, Rhea chiant dans ses frocs. Lozano a envoyé message ; communications avec lui marchent bien. Lozano en contact avec Rodolfo. Dernières nouvelles d'El Chino ont été un câble qu'a reçu Sanchez de Camiri annonçant son arrivée La Paz mais plus vu. Sur Debray, ferons campagne pour libération. Pas d'informations sur sa détention ni sur situation Tania et El Pelado. Kolle a demandé Rodolfo incorporation guérilla et aide au maximum. Position Monje dégueulasse ; à ce qu'il semble, allaient le rabaisser dans hiérarchie. Guérilla bénéficie de prestige international et appui mouvements révolutionnaires. Salut à tous. Biculo.

N° 37

Ramon,

1) Péruvien Capac, responsable ELN travail préparation noyau guérillero à Puno, arrivé dans celle-ci pour établir accord car étaient sans contact avec El Chino et sans informations. Lui avons expliqué importance guérilla Bolivie sans détailler compositions direction mais en expliquant son contenu stratégique. Avons expliqué à El Chino contact avec guérilla afin d'établir accords et Sanchez aide dans tâches d'appui. Ont reçu 25 000 dollars pour envoi 20 hommes celle-ci et continuer travail foyer. A La Paz, Sanchez a 48 000 qui restent de ce qu'avait emporté El Chino, selon information Capac à qui nous avons dit de ne pas toucher à cet argent, d'attendre accord El Chino-guérilla et de laisser Sanchez situation actuelle.

Préparation foyer très lente : seulement 5 hommes dans ferme explorant ; armement consiste en 12 fusils de chasse et chargement qu'ils pensent obtenir par frontière Bolivie. Il consiste en une z-b-30, 4 carabines et 2 mitraillettes. Majorité membres ELN à Lima tâches propagande et organisation. Leur avons signalé importance concentrer effort organisation foyer.

2) Maspero se rend à celle-là afin s'informer situation Debray et influer sur sa défense. Il essaiera contact Kolle. Informerons par cette voie aussitôt rentrera. Campagne solidarité Debray dimension internationale avec appui figures prestigieuses, monde scientifique et lettres.

3) Telleria au Chili a écrit Otero informant prestige guérilla parmi mineur-ouvriers d'usines-étudiants.

Manifestations 1er Mai acclament guérilla.

Régime de plus en plus impopulaire.

4) Lechin au Chili sans problèmes ; bien traité par autorités.

5) Avons reçu informations non confirmée Paz planifie coup avec ex-colonel Seoane en rapport avec ouverture front guérillero à Guayaramerin dirigé par Ruben Julio et appuyé secteurs militaires OSNR. Saluts. Ariel.

13 juin

No 38

Ramon,

Avons reçu en date 4 juillet message envoyé par Rodolfo. Amené par Fernandez Villa du secrétariat des JCB. Expose qu'il attend retour d'Ivan. Réitèrent demande urgente opérateur-radio connaissant bien les clés. Possible coopèrent avec guérilla et demandent instruction militaire dans l'île. Organisation travaille zones... à Santa Cruz et zone sud de Apollo (Apolo ?-appui ?).

Demande si vaut la peine ouvrir autre front avec 30-40 hommes. Dit que le Dr Rhea hors de circulation pour facture dans le campement. Ambassade yankee très active, travaille à essayer de recruter des gens du PCB... a envoyé Gonzalo en voyage aux Etats-Unis...

Le Parti informe que frontière chilienne très contrôlée. Parfaite compréhension avec le Parti au moyen de Jorge. Conversations également positives avec secteur Gonzalez du POR. A envoyé deux boîtes à lettre pour que nous lui écrivions. Dr. Hugo Gallard F., Colon 555 et Dr. José Guzman, Casilla 2 203. La Paz. Fin de message de Rodolfo. Message envoyé à Rodolfo en réponse dit ceci :

Avons reçu ton message. Envoyons nouveau plan de radio pour Mariano. Suspendre visite aux endroits de contacts avec Ivan là-bas parce que semble s'être grillé pendant son séjour. Retournera pas pour ce motif. Nouveau camarade occupera sa place en temps utile. Nécessaire qui tu envoies forme sûre de contact. Approfondissez l'étude des zones que tu signales. Ne convient pas ouvrir nouveau front. Urgent faire tous les efforts pour contacter Ramon qui en décidera. Organiser avec les hommes qu'il amène petites cellules d'action et sabotage et les (développer ?) (graduellement ?) en actions. D'autre part, organiser appareil selon directives données par Ramon.

En septembre arrivera technicien demandé de radio connaissant bien les clés. Il s'agit du boursier bolivien Eustaquio Mena des JCB mais recruté par l'ELN. Envoyez messager de confiance avec information demandée et liste de (éléments) MNR qui veulent s'entraîner et informations sur eux. Fin du message envoyé à Rodolfo. Au sujet du remplaçant d'Ivan, il s'agit Cubain combattant sierra sur lequel nous travaillons. Il possède une documentation de première et nous pensons qu'il sera dans celle-là au mois de novembre. Au sujet d'Ivan, pensons ne pas l'envoyer à celle-là à cause de signes donnés pendant son séjour...

Lui préparons nouvelle documentation forte pour l'envoyer au Chili. Nous pensons qu'il sera là-bas au mois de décembre. Préparons un groupe de 23 hommes. Tous sont étudiants boursiers dans celle-ci, 90 % des rangs des JCB, le reste des Spartacus et indépendants. Tous sont conscients de la lutte menée, désireux d'entrer dans l'ELN. C'est un bon groupe. Nous travaillons aussi sur les boursiers qui se trouvent en URSS et en Tchécoslovaquie pour les intégrer à la lutte sous l'orientation de l'ELN. Saluts de « la Patrie ou la Mort ». Jusqu'à la victoire, toujours. A.

N° 39

Ramon,

OLAS a constitué victoire idées révolutionnaires. Délégation de Bolivie une merde. Ils ont maintenu des positions contraires intérêts guérilla. Elle était formée de Aldo Flores et Ramiro Otero du PCB, Mario Carrasco du PRIN et Dr. Ricardo Cano du FLIN. Flores a essayé de passer pour représentant de l'ELN. Nous sommes vus dans la nécessité de le démentir. Relations avec eux totalement froides et avons demandé qu'ils envoient des hommes de Kolle pour discuter. Dr. Cano a informé que maison dentiste Lozano perquisitionnée et qu'il est entré dans clandestinité. Croyons possible échange Debray et faisons démarches dans ce sens. Saluts. Ariel.

Table

ACHEVÉ D'IMPRIMER EN MARS 1977
SUR LES PRESSES DE L'IMPRIMERIE
CORBIÈRE ET JUGAIN, A ALENÇON (ORNE)
DÉPÔT LÉGAL : 1er TRIMESTRE 1977
SECOND TIRAGE : 10 000 A 15 000 EX.
ISBN 2-7071-0240-7